handmade ZAKKA

handmade
のんびり気分で作りたいもの
ZAKKA

mihox & H.H.

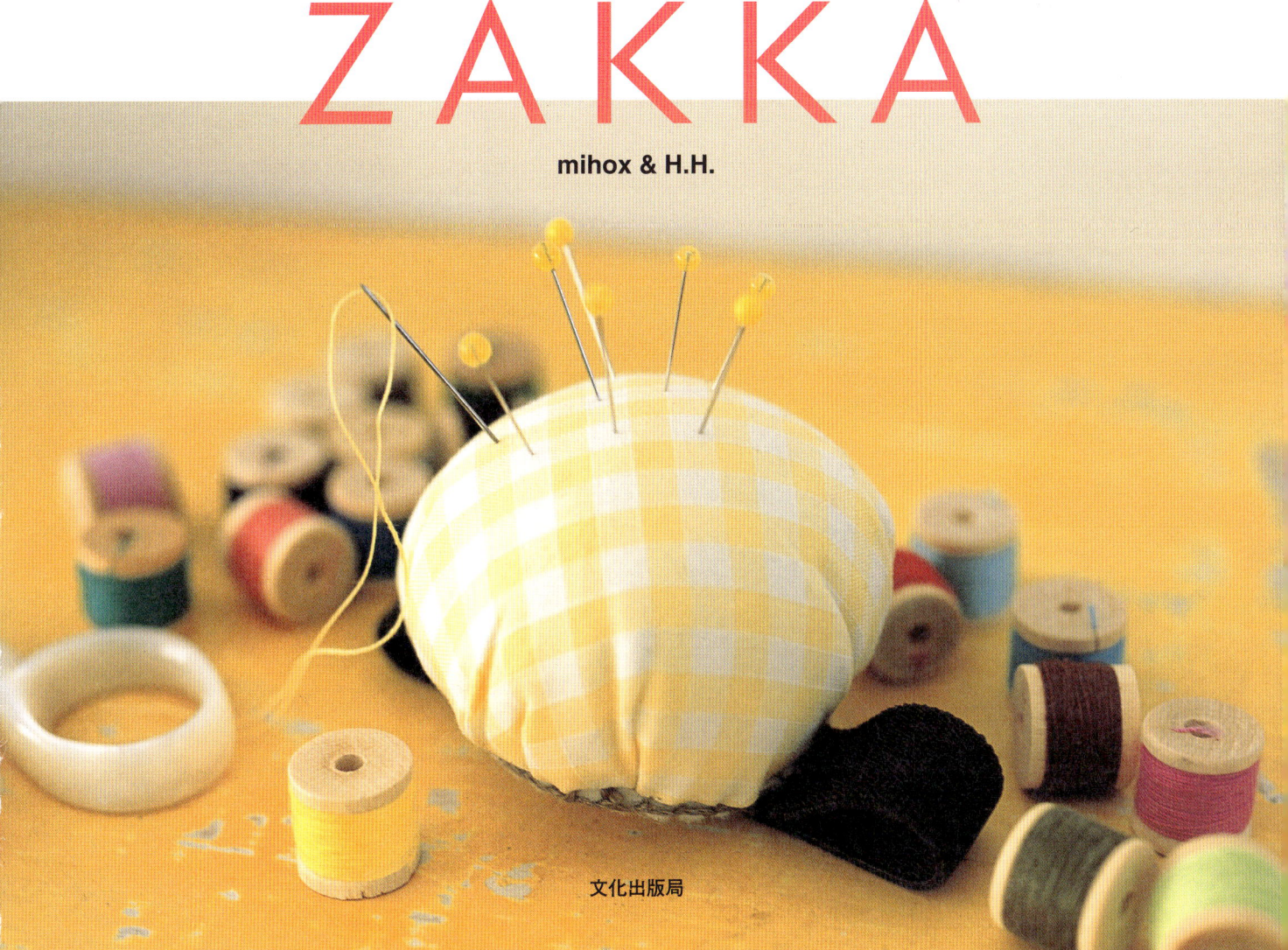

文化出版局

ふだん仕事をしている人は、休日は好きなことをして過ごしますよね。

私の場合は手作り。

土曜日に手芸屋さんを回って材料集めをして

日曜日に少しずつ作ります。

好きな音楽を聴きながら、小さなものは手縫いで、

服など大きなものはミシンで縫って、一気に仕上げてしまうのが私の手作り。

こうして出来上がったものは、愛着もひとしお。

「明日からまた仕事をがんばる!」って元気をもらいます。

週末のちょっとした時間があればできる、

こんなのがあったらいいな、というものを集めてみました。

大好きな布小物に囲まれた、ちょっと幸せな私の暮らし。

皆さまにも少しおわけしたくて……。

CONTENTS

LIBERTY
リバティ

- **06** しわしわスカート、しわしわスカーフ
- **08** 大きなバッグ、ちっちゃなバッグ
- **10** ポシェットとカードケース
- **12** クローシュとショルダーバッグ

linen & lace
麻とレース

- **18** フリルのブラウス
- **20** ハンガー、ランジェリーケース、サシェ
- **21** クッションカバー
- **22** カフェカーテン
- **23** 手ふきタオル
- **24** ランチョンマット
- **25** ドイリー
- **26** ティーコゼー、コースター、ポットつかみ
- **28** バスケット、コースター、カトラリーケース

check & stripe
チェックとストライプ

- **32** チュニックとシュシュ
- **34** Tシャツ、キャミソール
- **36** パッチワークエプロンとバブーシュカ
- **38** 買い物バッグとエプロン
- **40** ポシェットとティッシュケース
- **42** ブックカバーと携帯ケースとペンケース

端ぎれを使って

- **44** ペットボトルケース
- **46** ピンクッション

- **48** 製図の引き方

LIBERTY
リバティ

リバティプリントが好きです。

子供のころから「きれいな花模様!」って思った布は必ずリバティで、

「いつかこんな花柄が似合う大人になりたい」って、ずっとあこがれていました。

"タナローン"の柄、色づかい、しなやかな素材感が好き。

大好きだから、服や小物を作ったちっちゃな端ぎれも大切に使います。

skirt, scarf
しわしわスカート、しわしわスカーフ

縫い上がったら水でぬらしてぎゅっと絞り、そのまま乾かします。

これで、しわしわスカーフとスカートの出来上り。

旅行にも、とっても便利です。

スカーフにはお気に入りのビーズをあしらいました。

●作り方49ページ

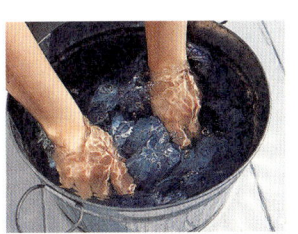
1 スカートを水でぬらして……

2 ぎゅっと絞ります

3 くるくるとねじって……
4 ほどけないようにまとめて……

5 そのままよーく乾かします

bag, mini bag
大きなバッグ、ちっちゃなバッグ

持ち手を蝶結びにした大きなバッグ。
リバーシブル仕立てで、表と裏のどちら側も使えます。
型紙を小さくして、同じ形のちっちゃなバッグも作ってみました。
大きなバッグの中に入れて整理袋にしてもいいし、
お財布と携帯電話だけ持ってちょっとそこまで、というときにも重宝です。

大きなバッグ、ちっちゃなバッグ

- ●パターンは●
- ●材料

大きなバッグ
布…綿麻混紡の刺繍地（表布分）、リバティプリント（裏布分）各70×80cm

ちっちゃなバッグ
布…綿麻混紡の刺繍地（表布分）30×50cm、リバティプリント（裏布分）30×40cm

- ●作り方

大きなバッグ
1 ポケットを作り、表袋布につける。ダーツを縫い、縫い代は中心側に倒す。裏袋布も同様に縫う。
2 表袋布を中表に合わせ、袋部分を縫う。裏袋布は返し口を残して縫う。
3 表袋と裏袋を中表に合わせ、袋口から持ち手部分を縫う。
4 表に返して返し口をまつり、袋口にステッチをかける。

ちっちゃなバッグ
1 ポケットを作り、表袋布につける。ダーツを縫う。持ち手部分を縫い、縫い代は割る。ポケット以外、裏袋布も同様に縫う。
2 表袋布、裏袋布を中表に合わせてカーブの部分を縫い、表に返す。
3 表袋と表袋、裏袋と裏袋を中表に合わせ、裏袋の返し口を残して袋部分を縫う。
4 表に返して返し口をまつる。袋口にステッチをかける。

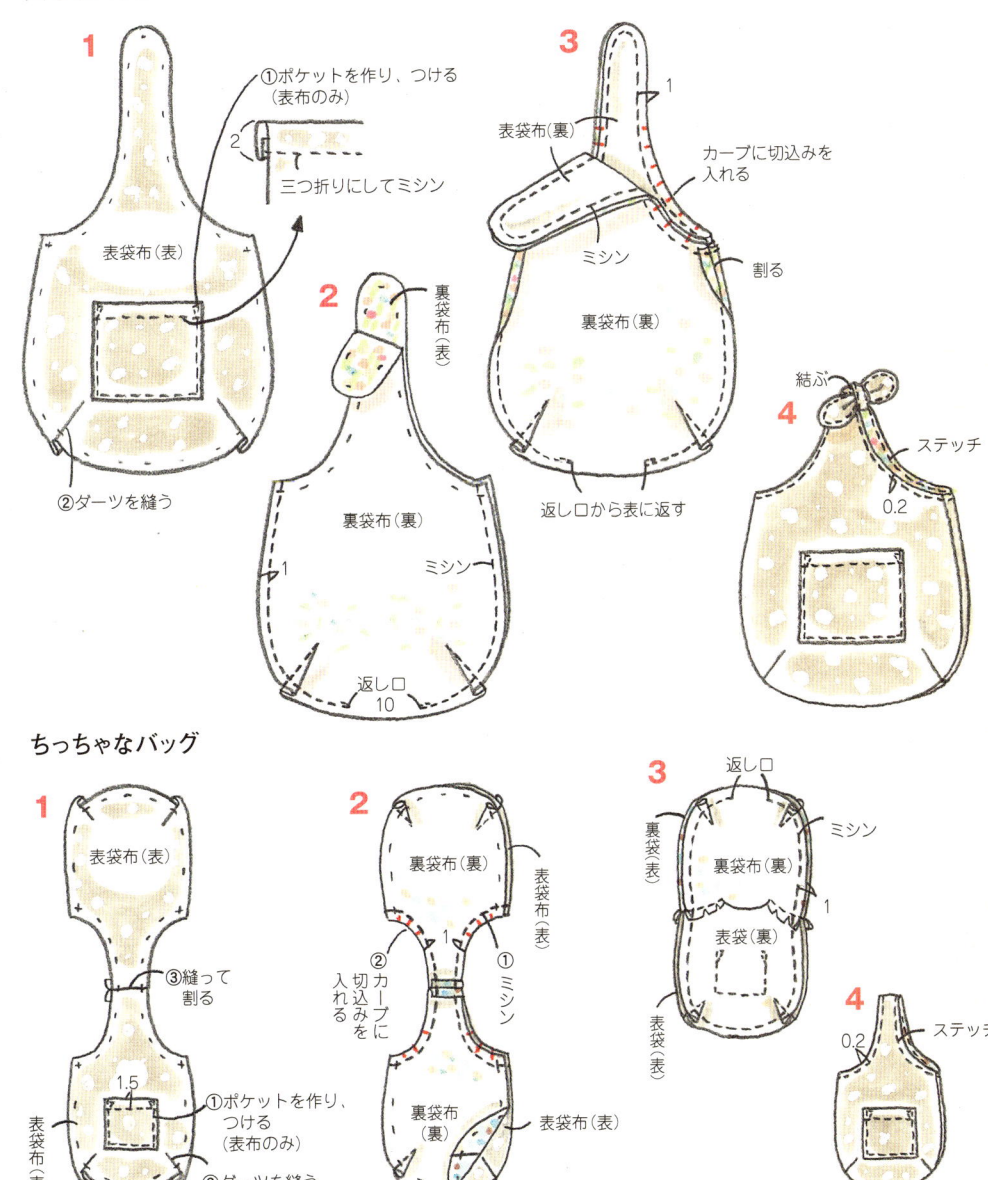

pochette & card case
ポシェットとカードケース

ふだん大きなバッグを持ち歩いているので、
細かいものを入れるためのこんなポシェット、
お財布や手帳がさっと取り出せるから欲しかったんです。
カードケースは定期券がすっぽり入るサイズ。
私はカードキー入れとして使っています。

ポシェットとカードケース

●材料

布…麻(表布、表肩ひも分)110cm幅50cm、リバティプリント(裏布、裏肩ひも分)110cm幅50cm　トッグルボタン(ポシェット分)…長さ2.5cmを1個　麻ひも(ポシェット分)…15cm　リボン(カードケース分)…0.3cm幅15cm

●作り方

ポシェット

1 表袋布、裏袋布をそれぞれ中表に合わせ、両脇を縫う。

2 表袋の中に裏袋を入れ、裏袋の口を折っておく。

3 肩ひもを作る。

4 袋口に肩ひも、麻ひもをはさんで縫う。ボタンをつける。

カードケース

1、2 はポシェットと同様に作る。

3 袋口にリボンをはさんで縫う。

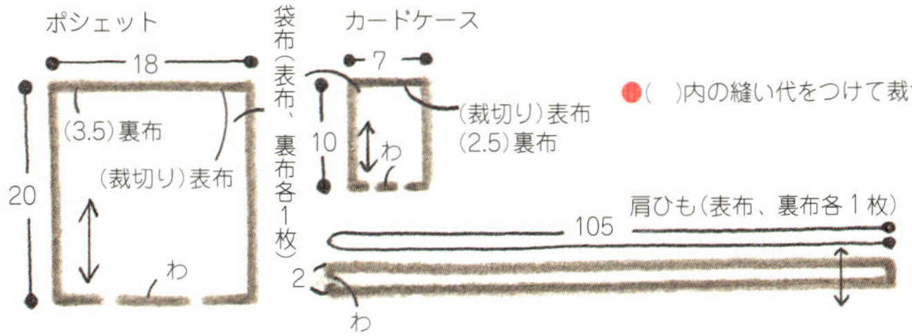

●(　)内の縫い代をつけて裁つ。指定以外は1cm

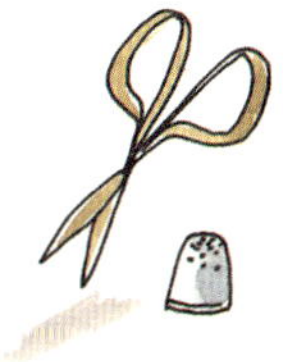

ポシェット

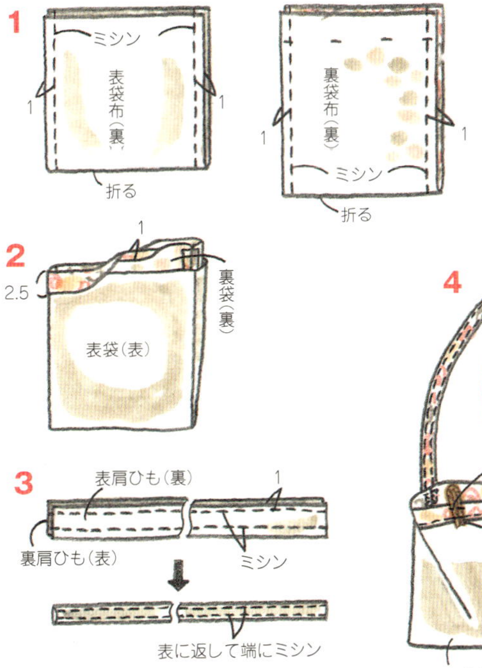

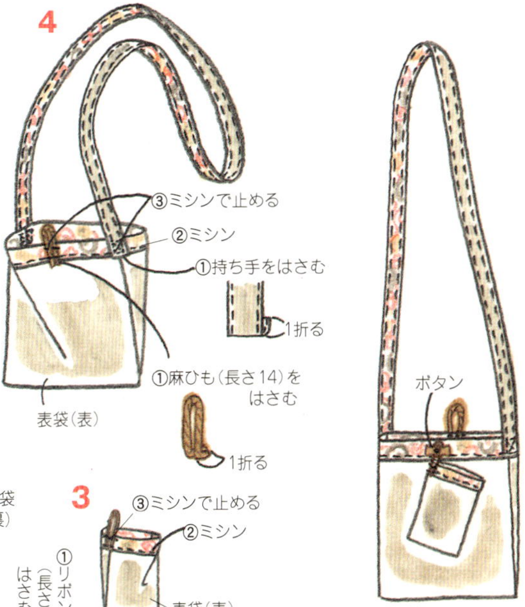

カードケース

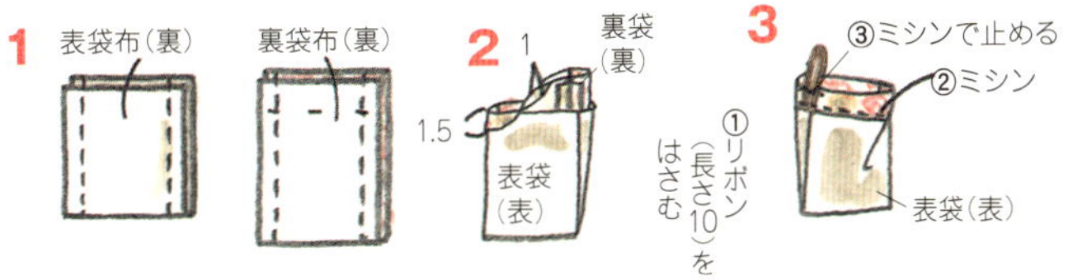

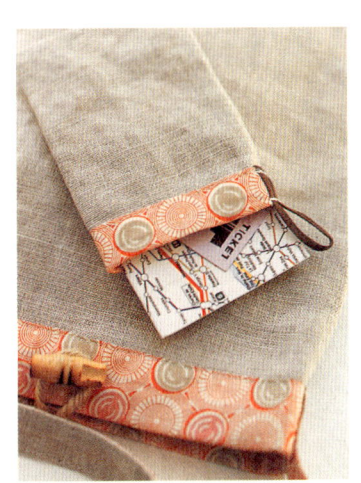

cloche & shoulder bag
クローシュとショルダーバッグ

日ざしが強い日の外出は、帽子をかぶって出かけます。
クローシュは、まっすぐ裁ちのクラウンを中心でつまんだユニークな形。
リバティの小さな飾りがかわいいアクセント。
おそろいのショルダーバッグはリバーシブルで使えます。
●作り方14、15ページ

クローシュ　写真12ページ

●ブリムのパターンは©

●材料

布…麻（表布分）60×65cm、リバティプリント（裏布、飾り分）50×50cm　接着芯（ブリム分）…50×60cm　グログランリボン…2.5cm幅65cm　麻ひも（飾り分）…20cm

●作り方

1 表ブリムに接着芯をはる。後ろ中心を縫い、縫い代は割る。裏ブリムも同様に縫う。

2 表ブリムと裏ブリムを中表に合わせて外回りを縫い、表に返してステッチをかける。

3 クラウンを中表に合わせて後ろ中心を縫い、縫い代は割る。前後の中心のタックをたたみ、仮止めしておく。

4 クラウンの前後中心を合わせて脇で中表に折り、上部を縫う。縫い代はロックミシンをかけておく。

5 表ブリムとクラウンを中表に合わせて縫う。縫い代にロックミシンをかけ、ミシン目のきわの縫い代のみにグログランリボンをつける。

6 クラウンの両脇をそれぞれ中心に合わせ、中心で縫い止める。飾りを作り、つける。

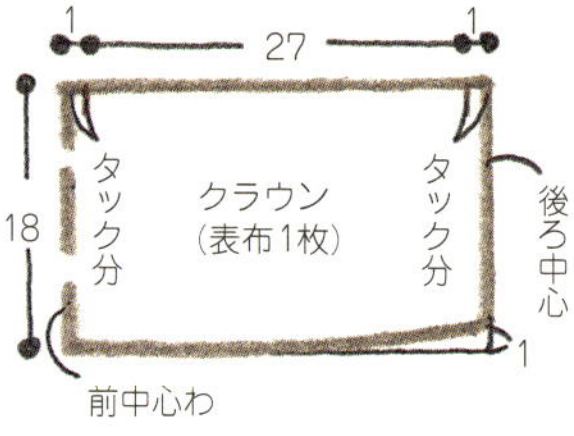

●1cmの縫い代をつけて裁つ

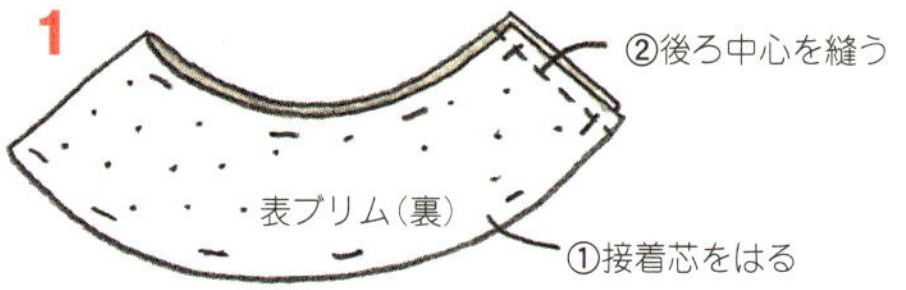

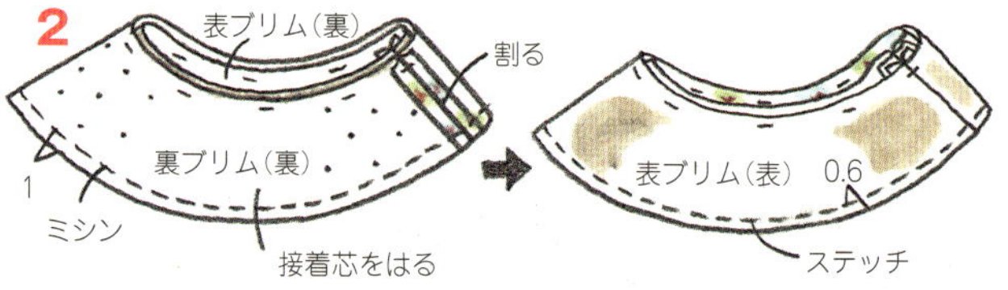

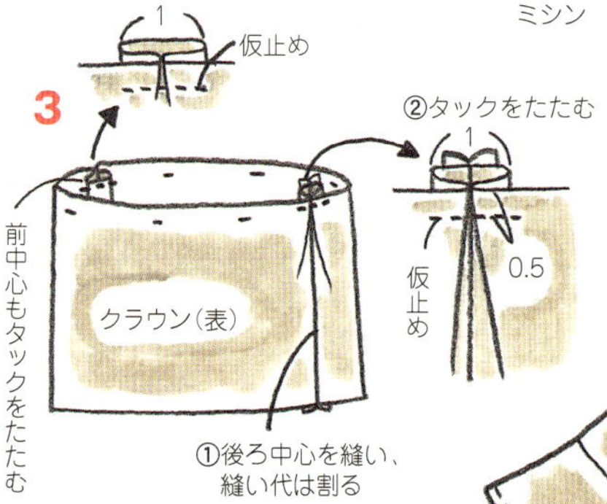

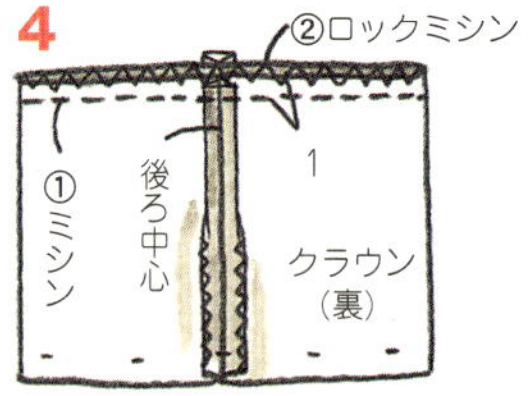

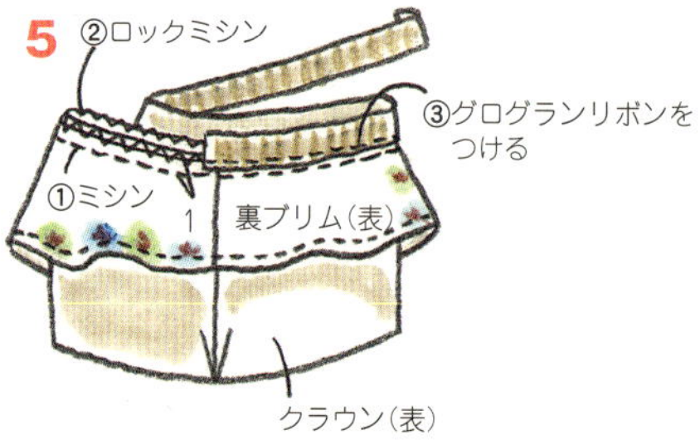

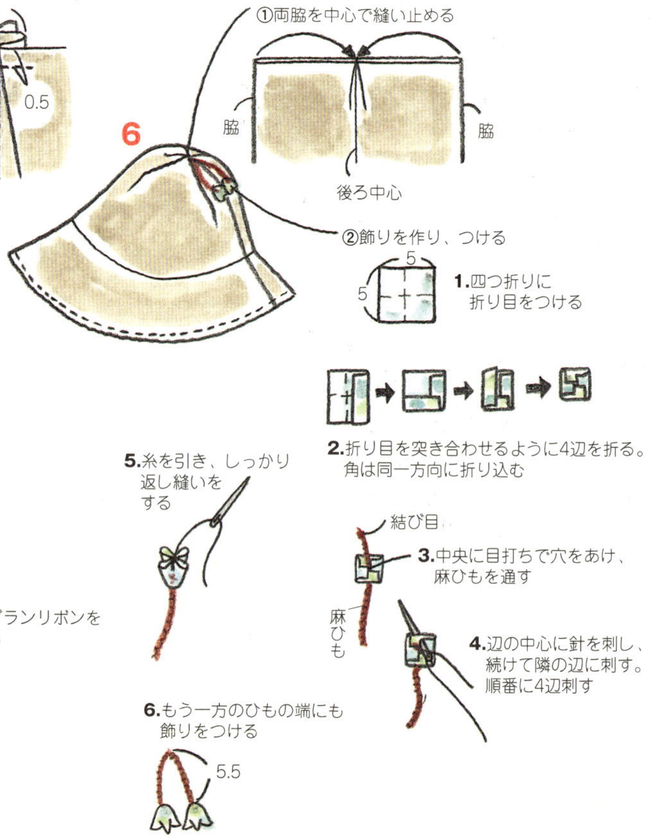

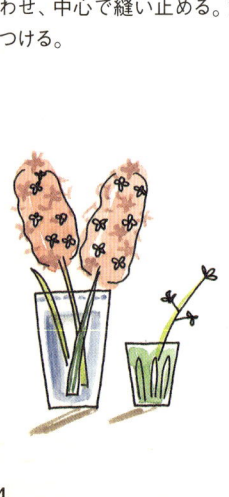

ショルダーバッグ 写真12ページ

●材料
布…麻(表布分)110cm幅40cm、リバティプリント(裏布分)50×30cm

●作り方
1. ポケットを作り、表袋布につける。
2. 表袋布を中表に二つ折りにし、片側に返し口を残して脇を縫う。5cm幅にまちを縫う。
3. 裏袋布に口布をつける。裏袋布を中表に二つ折りにして脇を縫う。表袋と同様にまちを縫う。表に返し、口布にステッチをかける。
4. ループを作る。表袋と裏袋を中表に合わせ、ループを脇にはさんで袋口を縫う。表に返し、返し口をまつる。
5. 肩ひもを作り、先端の片方を口布側につける。もう一方はループに通して結ぶ。

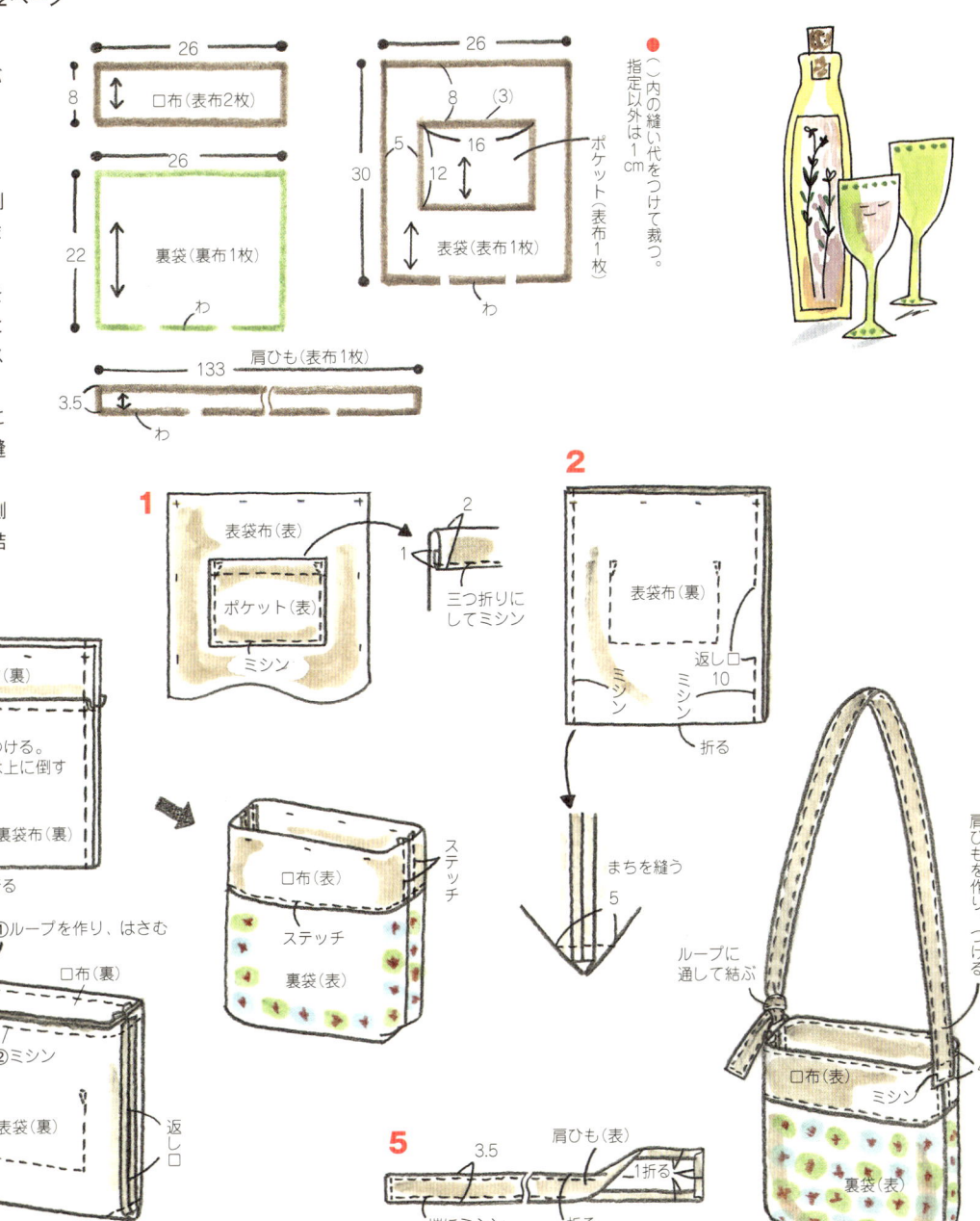

linen & lace
麻とレース

麻は高価でしわになりやすい布という印象があったけれど、

この手触りが好きで、布小物を作ってみたら、やっぱりいいものはいい。

使うほどに風合いが出て、洗うたびに柔らかくなじんできます。

レースも同じ。多少高くても好きなものは好き。

部屋の中に大好きな麻とレースの小物があると、気持ちがほっと和みます。

blouse
フリルのブラウス

シルエットはほっそりとしているのに、かぶって着られるブラウスです。
ほかにも、ゆったりとあいた衿ぐり、小さな袖、切りっぱなしのフリルなど
カッティングにこだわりました。
さわやかなレースで作りたい、涼しい一着です。

フリルのブラウス

- ●製図は48ページ
- ●材料
布…レース地110cm幅1.1m　ゴムテープ…0.7cm幅1.2m　25番刺繍糸…適宜
- ●作り方

1 前後身頃と袖を中表に合わせて縫い、縫い代にロックミシンをかけて身頃側に倒す。

2 スリットを残して袖下から脇を続けて縫う。縫い代は割り、スリットにステッチをかける。

3 衿フリルを中表に合わせて後ろ中心を縫い、縫い代は割る。身頃の裏面に合わせて衿ぐりにミシンをかける。

4 表に返しステッチをかけ、長さ70cmのゴムテープを通す。袖口を二つ折りにして縫い、長さ25cmのゴムテープを通す。裾を三つ折りにして縫う。

5 刺繍糸を鎖編みにして長さ70cmのひもを作る。衿ぐりに縫いつけて結ぶ。

裁ち方

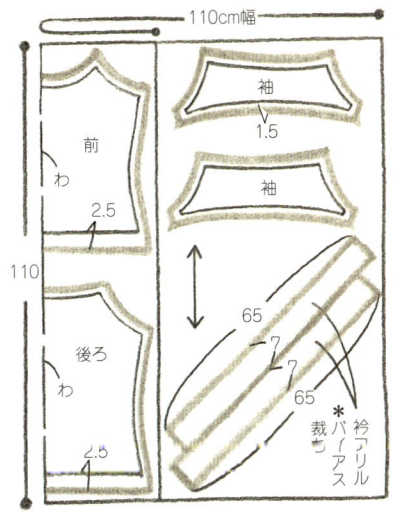

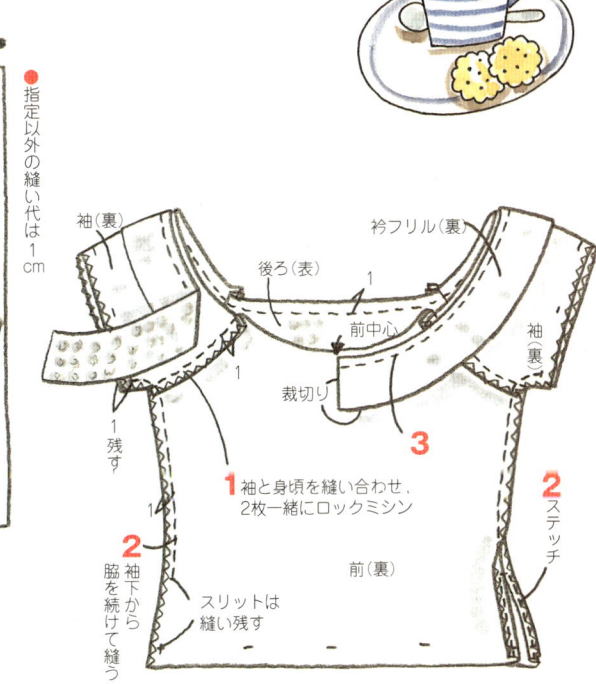

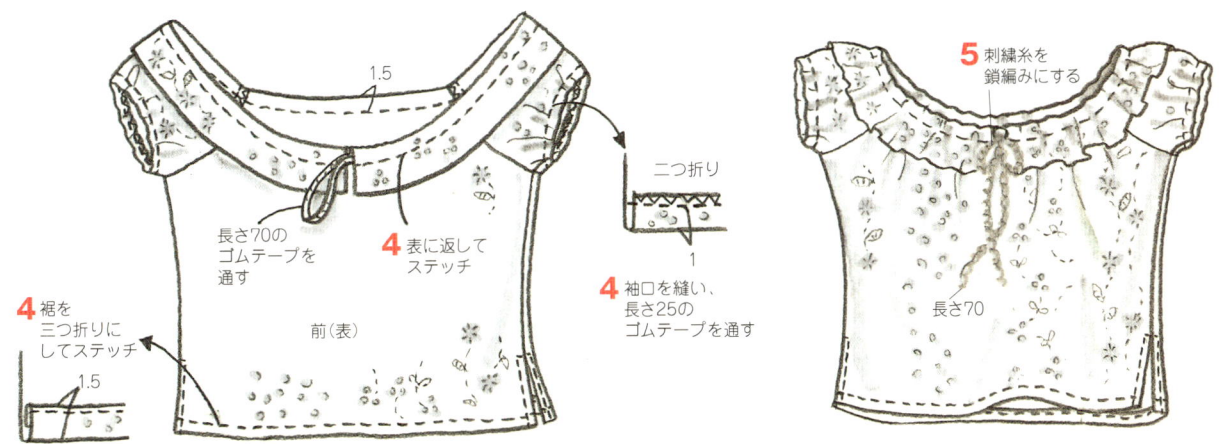

hanger, lingerie case, sachet
ハンガー、ランジェリーケース、サシェ

ハンガーは針金ハンガーにレースをはぎ合わせたカバーをかぶせたもの。
残り布でできるサシェに、好みのポプリを詰めましょう。
ランジェリーケースにサシェをそっとしのばせて……。
旅行に持っていきたいひとセットです。

● 作り方 50、51 ページ

cushion cover
クッションカバー

ちっちゃなサイズのミニクッションが好き。
色みが合っていれば、おそろいでなくても、デザインがばらばらでもかわいいと思う。
リボンで結んだり、ボタンどめにしたり、パッチワークしたり、
いろいろなクッションカバーを作ってみました。
あなたはどれがお好きですか?
●作り方52、53ページ

café curtain
カフェカーテン

縦にはいだような、透し柄がストライプみたいになっているレース地。

きれいな模様を生かしたくて、周囲を縫っただけのシンプルなカフェカーテンに。

裾飾りと結びひももも全部レースにして清潔感をキープ。

キッチンの小窓にあしらっただけで、幸せな気分になります。

●作り方59ページ

towel
手ふきタオル

いただきもののタオルは、色やサイズがばらばらです。
旅館や温泉でもらう名入りのタオルの名前の部分を、
申し訳ないけど切り取って、そこにパッチワークをプラスしました。
こんな、ちょっとした手仕事を加えただけで、自分らしいタオルになりました。
●作り方54ページ

luncheon mat
ランチョンマット

表側の麻にはシンプルな刺繍を、
裏側はギンガム、花プリント、ストライプをパッチワーク。
パッチワーク部分を少し、表側の縁とりにあしらいました。
シンプルな表側とポップな裏側と、両面使えるランチョンマットです。
● 作り方55ページ

doily
ドイリー

周囲を縫っただけの四角いドイリー。
クリーマーやシュガーポットのカバーにいかがでしょう。
刺繍と同じ色のビーズ飾りをあしらいました。
四隅につけたり、点々と周囲につけて、
布がくたっと垂れるくらいの重し代りにします。
● 作り方55ページ

tea cozy, coaster, potholder
ティーコゼー、コースター、ポットつかみ

ティーコゼーをかぶせると見えなくなるので、ティーポットのシルエットを刺繍しました。
葉っぱのコースターは、ソーサーのないカップ用。
コースターの型紙を小さくして、中にわたを入れればポットつかみに。
オーブンや蒸し器などで熱くなった器を持つときにも使えて、なにかと重宝です。

ティーコゼー、コースター、ポットつかみ

- コースター、ポットつかみのパターンは Ⓐ
- 材料

ティーコゼー
布…麻(表布分)25×55cm、ストライプ(裏布分)30×55cm　キルト芯…25×55cm　リボン…1.2cm幅10cm　25番刺繍糸…適宜

コースター(1枚分)
布…麻(表布)20×15cm、ストライプ(裏布)20×15cm　リボン…0.5cm幅15cm

ポットつかみ
布…麻(表布)15×10cm、ストライプ(裏布)15×10cm　リボン…0.5cm幅15cm　わた…適宜　スナップ…1組み

- 作り方

ティーコゼー
1　表布を中表に合わせ、さらに外側にキルト芯を1枚ずつ重ね、表布の間にリボンをはさんで縫う。
2　裏布を中表に合わせて縫い、口を1cm折っておく。
3　表布と裏布を外表に合わせ、裏布の口を折り返して縫う。
4　前側に裏布まで通して刺繍をする。

コースター
1　表布と裏布を中表に合わせ、返し口を残して周囲を縫う。
2　表に返し、返し口をまつる。
3　V字形の部分を2cm重ねて縫い、長さ12cmのリボンをつける。

ポットつかみ
1　表布、裏布を中表に合わせ、返し口を残して周囲を縫う。
2　表に返してわたを詰め、返し口をまつる。
3　V字形の部分を0.5cm重ねて縫い、リボンをつける。
4　V字形の部分とリボンにスナップをつける。

27

basket, coaster, cutlery case
バスケット、コースター、カトラリーケース

ティーセットをひとまとめにできる楕円形のバスケットです。外に持ち運んでもいいし、そのまま部屋に置いて収納しても。ワインバッグにしてバスケットごとプレゼントしても喜ばれそう。

コースターは、ソーサーの間にはさめば収納のときのクッション材になります。
カトラリーケースにはお花畑のようにデージーの刺繍をあしらいました。

●作り方56、57ページ

check & stripe
チェックとストライプ

チェックやストライプは元気になる柄。

気負わなくてもいいカジュアルさも気に入っています。

チェックの大小や、チェック＋ストライプの組合せも好き。

昔からずっと変わらないのに飽きがこなくて、いつも新鮮に感じます。

年齢を重ねても、チェックやストライプが似合う人でいたいなーと思います。

tunic blouse & chouchou
チュニックとシュシュ

ひざ丈のチュニックは、ローウエスト位置に通したひもでブラウジングさせて着ます。
ゆったりとあいた衿ぐりは、ドレープをたたんでブローチでとめて。
縁とりは同じ色のギンガムテープを利用しました。
その残りでシュシュも手作り。ポニーテールがきれいにまとまります。

チュニックとシュシュ

● チュニックの製図は48ページ

● 材料

チュニック
布…ギンガムチェック大（身頃分）110cm幅1.2m、ギンガムチェック小（ひも分）110cm幅30cm　ギンガムテープ…4cm幅2m

シュシュ
ギンガムテープ…2色（表、裏分）各4cm幅50cm　ゴムテープ…0.7cm幅20cm

● 作り方

チュニック
1. 前身頃のダーツを縫い、縫い代は上に倒す。
2. 肩を縫い、縫い代は割る。
3. 脇をスリット止りまで縫い、縫い代は割る。
4. スリットにステッチをかける。
5. 裾を三つ折りにして縫う。
6. 衿ぐり、袖ぐりをギンガムテープで始末する。
7. ひも通し位置にギンガムテープをつける。
8. ひもを作り、ひも通し口から通す。

シュシュ
1. ギンガムテープ（表分）を輪に縫い、縫い代は割る。もう1枚のテープ（裏分）はゴムテープ通し口を残して輪に縫う。
2. 1の2枚を外表に合わせ、ステッチをかける。
3. 長さ20cmのゴムテープを通し口から通す。

T-shirt, camisole
Tシャツ、キャミソール

ギンガムテープを使って、市販のTシャツをリメークしましょう。
ギャザーを寄せて袖口や裾にフリルをつけたり、
キャミソールには2段につけたり、Y字につけたり。
なんの変哲もないシンプルなTシャツがこんなにドレスアップしました。

Tシャツ、キャミソール

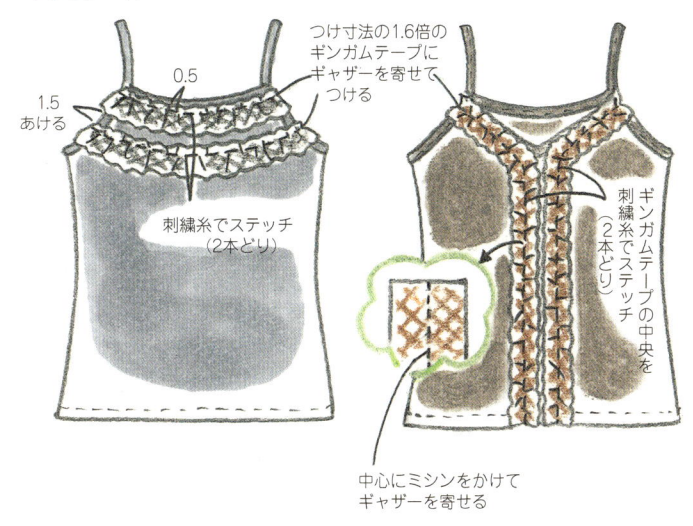

●材料

Tシャツ
ギンガムテープ…4cm幅2.2m ＊
25番刺繍糸…適宜　Tシャツ…1枚

キャミソール（2段、Y字形共通）
ギンガムテープ…4cm幅80cm ＊
25番刺繍糸…適宜　キャミソール…1枚

＊MサイズのTシャツの場合。そのほかのサイズの場合は、つけ寸法の1.6倍を用意する。

●作り方

Tシャツ

1　ギンガムテープを袖口の長さの1.6倍にカットする。中表に端を合わせて縫い、縫い代は割る。縁から0.5cmの位置に針目の大きいミシンをかける（またはぐし縫い）。
2　1の糸を引いてつけ寸法の長さに縮め、均等にギャザーを寄せる。
3　袖口の裏に当て、表からステッチで縫いつける。裾も同様につける。

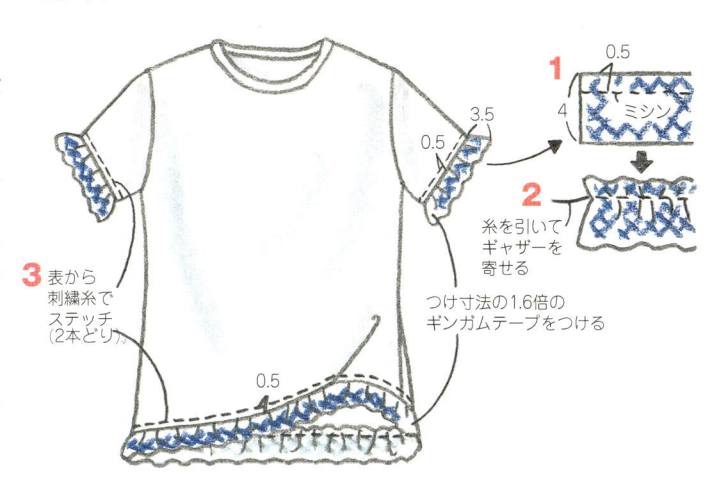

キャミソール
図を参照。

patchwork apron & babushka

パッチワークエプロンとバブーシュカ

いろいろな布をパッチワークしたエプロン。

四角だけのパッチワークだから簡単で、色みをそろえればかわいくまとまります。

バブーシュカは、布をパッチワークしてから型紙を当て、裁断します。

友達を呼んでわが家でホームパーティという日は

準備から応対までこのセットが大活躍です。

パッチワークエプロンとバブーシュカ

● バブーシュカのパターンは ©
● 材料
パッチワークエプロン
布…花プリント（パッチワークa分）20×25cm、ギンガムチェック小（パッチワークb、右ひも分）110cm幅35cm、花プリント（パッチワークc、f、g分）各25×25cm、花プリント、ギンガムチェック中（パッチワークd、h分）各15×25cm、ギンガムチェック小（パッチワークe、左ひも分）110cm幅35cm、ギンガムチェック大（ポケット分）25×30cm、ギンガムチェック中（裏布分）40×85cm

バブーシュカ
布…ギンガムチェック小（パッチワークa分）35×40cm、ギンガムチェック中（パッチワークb分）15×40cm、花プリント（パッチワークc分）30×20cm、花プリント（パッチワークd分）25×20cm、花プリント（パッチワークe分）35×45cm、ギンガムチェック中（裏布分）110cm幅40cm　25番刺繍糸…適宜

● 作り方
パッチワークエプロン
1 表布をパッチワークする。ポケットを作り、つける。
2 表布と裏布を中表に合わせ、返し口を残して周囲を縫う。
3 返し口から表に返し、脇から裾にステッチをかける。
4 ひもを作る。上端にひもをはさんでミシンをかける。

バブーシュカ
1 表布をパッチワークする。
2 1に型紙を置いて表布を裁つ。裏布も裁断する。
3 表布と裏布のダーツを縫う。表布と裏布を中表に合わせ、返し口を残して周囲を縫う。
4 表に返し、返し口をまつる。周囲を3本どりの刺繍糸でステッチをする。

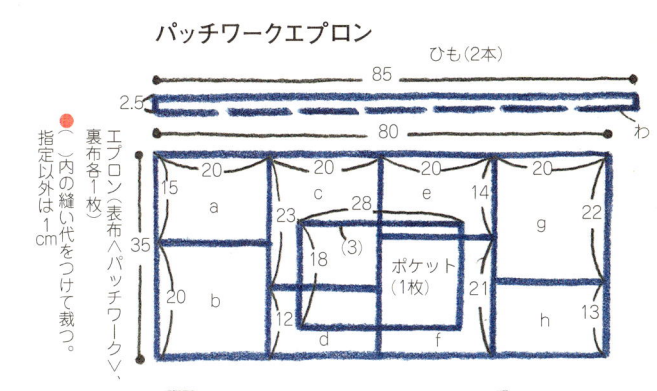

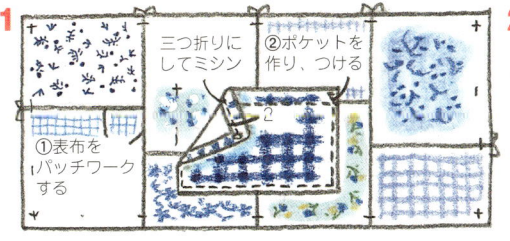

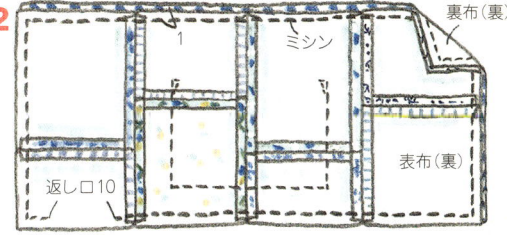

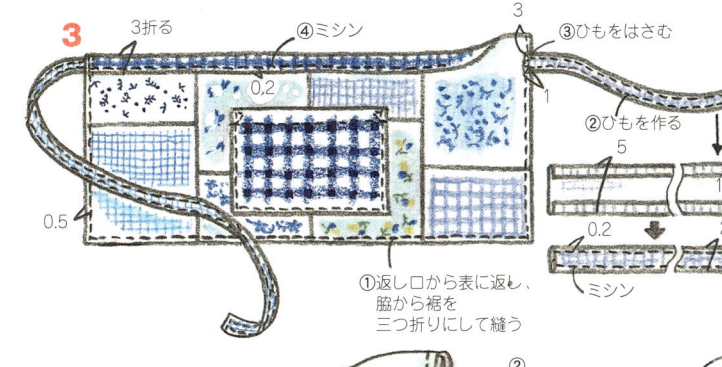

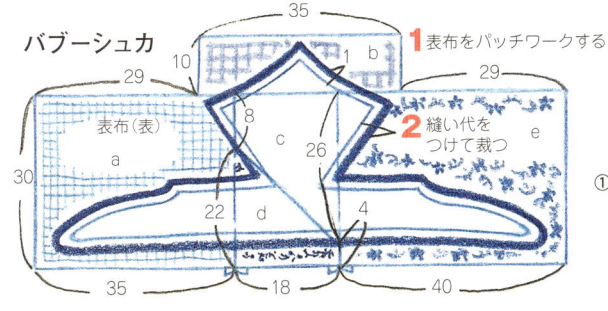

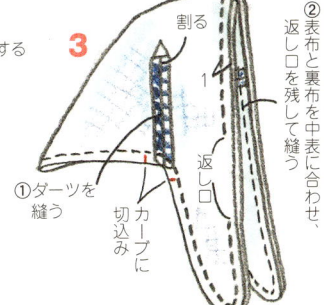

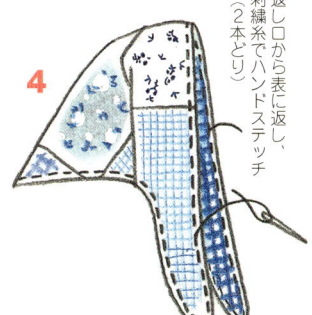

shopping bag & apron
買い物バッグとエプロン

雑貨屋さんで売っているキッチンクロスのような布で、買い物に便利なバッグとエプロンを作りました。
布を90cm用意すれば、このセットが作れます。
持ち手やひもは市販のテープを使い、作る手間を省きました。
●作り方58、59ページ

39

pochette
& tissue paper case
ポシェットとティッシュケース

大、中、小のギンガムチェックを組み合わせたぺたんこなポシェットです。
はぎ目に波形テープを、チェック模様にそって刺繍をあしらいました。
裏布つきの仕立てなので、出来上りはしっかりとしています。
おそろいのティッシュケースは手縫いでも作れます。

ポシェットとティッシュケース

●材料
ポシェット
布…ギンガムチェック小(表袋布a、肩ひも分)110cm幅15cm、ギンガムチェック大(表袋布b分)15×50cm、ギンガムチェック中(表袋布c分)10×50cm、花プリント(裏袋布分)30×50cm 波形テープの太、細…各1m グログランリボン…1.5cm幅1.1m 25番刺繍糸…適宜

ティッシュケース
布…ギンガムチェック中(表布分)25×20cm、花プリント(裏布分)25×20cm 波形テープの太…20cm 25番刺繍糸…適宜

●作り方
ポシェット
1 表布を縫い合わせ、波形テープをつけて、刺繍をする。
2 表布、裏布をそれぞれ中表に合わせ、脇から底を縫う。裏布のみ返し口を縫い残す。
3 肩ひもを作る。表袋布と裏袋布を中表に重ね、両脇に肩ひもをはさんで袋口を縫う。
4 表に返し、返し口をまつる。袋口に波形テープをつける。

ティッシュケース
1 表布と裏布を中表に合わせ、入れ口を縫う。
2 表に返し、波形テープをつける。
3 図のように表布を内側にして折り山で折り、両脇を縫い、表に返す。

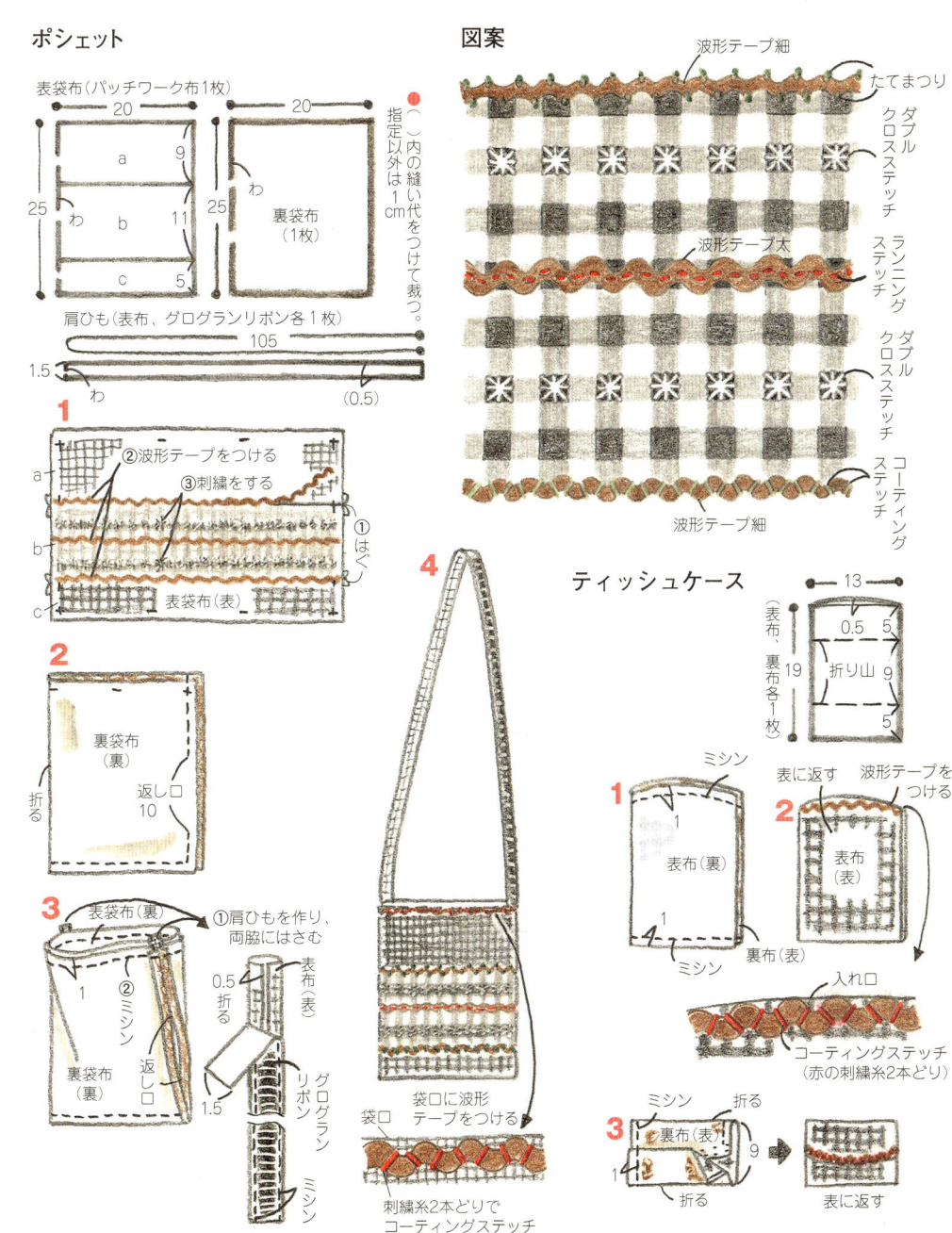

book cover, portable telephone case & pen case

ブックカバーと携帯ケースとペンケース

文庫本、携帯電話、筆記用具は出かけるときの必須アイテム。
毎日使うものだから、大好きな布でカバーを作ってあげました。
それぞれに、わが家の愛犬をワンポイント刺繍。
携帯ケースは、バッグの持ち手にもかけられるようになっています。

ブックカバーと携帯ケースとペンケース

●図案と携帯ケースのパターンは**B**
●材料

ブックカバー
布…ストライプ地(表布分)20×40cm、花プリント(裏布分)20×40cm、ギンガムチェック小(しおり分)5×5cm　リボン…0.3cm幅20cm　綾テープ…1.5cm幅20cm　25番刺繍糸…適宜

携帯ケース
布…ストライプ地(表布分)15×25cm、ギンガムチェック小(裏布、持ち手分)25×30cm　リボン…0.3cm幅10cm　ボタン…直径1.5cmを1個　25番刺繍糸…適宜

ペンケース
布…ストライプ地(表布分)45×10cm、ギンガムチェック小(裏布分)45×10cm　リボン…0.3cm幅10cm　ボタン…直径1.5cmを1個　25番刺繍糸…適宜

●作り方

ブックカバー
1 表布に刺繍をする。
2 しおりを作る。表布と裏布を中表に合わせ、しおりと綾テープをはさみ、返し口を残して縫う。
3 返し口から表に返し、端を5cm折り、周囲にミシンをかける。

携帯ケース
1 表袋布に刺繍をする。
2 表袋布、裏袋布をそれぞれ中表に合わせて縫う。裏袋布は返し口を縫い残す。
3 持ち手を作る。表袋布と裏袋布を中表に合わせ、持ち手を片方の脇にはさんで袋口を縫う。
4 表に返し、返し口をまつる。袋口にステッチをし、ボタンをつける。

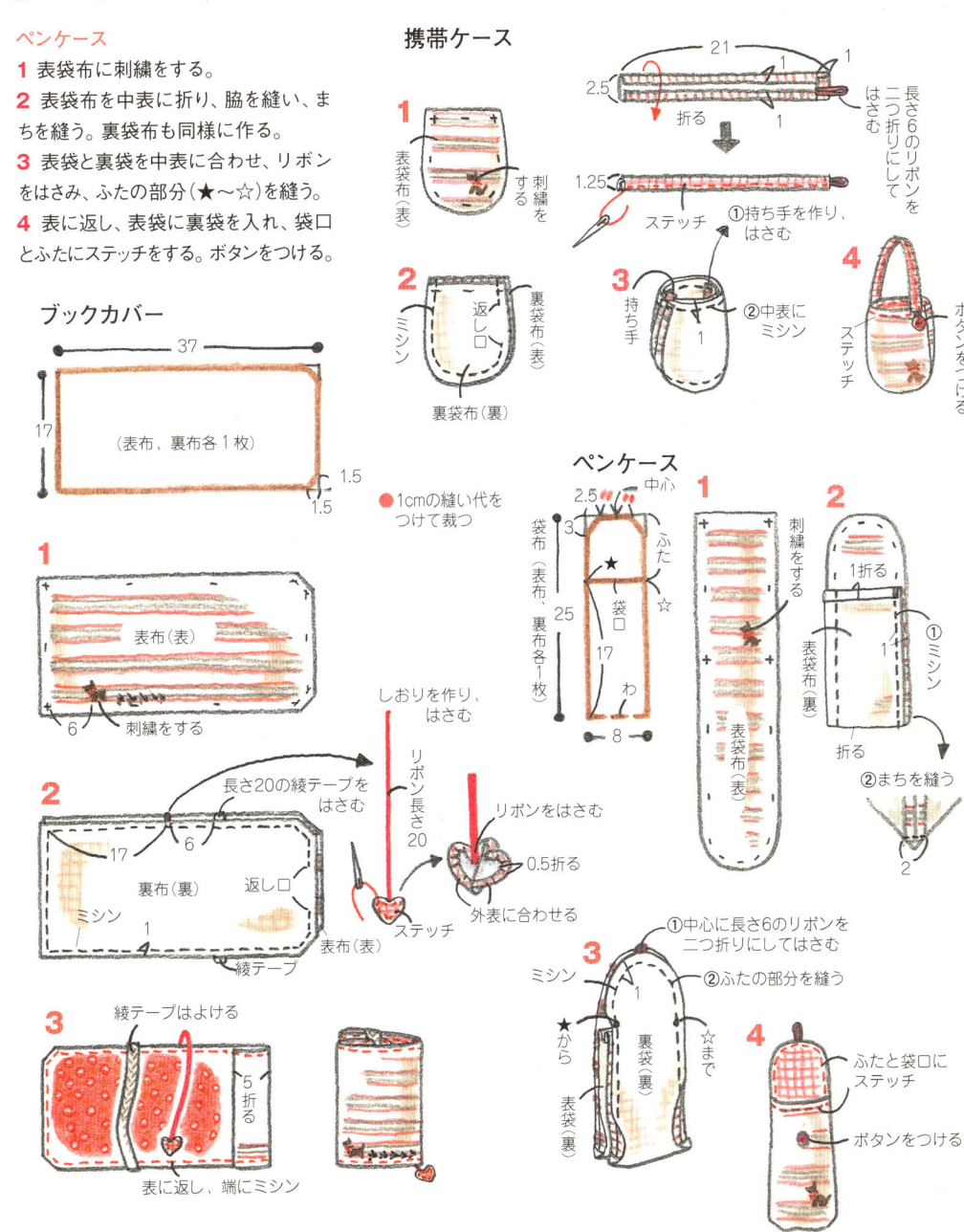

ペンケース
1 表袋布に刺繍をする。
2 表袋布を中表に折り、脇を縫い、まちを縫う。裏袋布も同様に作る。
3 表袋と裏袋を中表に合わせ、リボンをはさみ、ふたの部分(★～☆)を縫う。
4 表に返し、表袋に裏袋を入れ、袋口とふたにステッチをする。ボタンをつける。

43

端ぎれを使って
PET bottle case
ペットボトルケース

健康のためになるべく歩くようにしています。
そんなときに欠かせないのがペットボトル飲料。
バッグの中が水滴で湿っぽくならないように、専用のケースに入れて持ち歩きます。
わざわざ材料を買わなくても、残り布で作れます。
300ml用と500ml用の2サイズを作ったので、お好みでどうぞ。

ペットボトルケース

- アップリケのパターンは Ⓐ
- 材料

A、C（共通）
布…綿（表布分）、ワッフル地（裏布分）各20×30cm、ギンガムチェック大または花プリント（口布分）15×30cm、花プリント（アップリケ分）5×5cm、ギンガムチェック小（ひも分）5×55cm　25番刺繍糸…適宜

B
布…綿（表布分）30×30cm、花プリント（口布のパッチワークd、ひも、裏布分）50×30cm、ギンガムチェック中2種（パッチワークa、c分）、花プリント（パッチワークb分）、ギンガムチェック小（パッチワークe分）各15×10cm、ギンガムチェック小（ひも分）5×30cm、ワッフル地（アップリケ分）10×5cm　25番刺繍糸…適宜

D
布…綿（表布分）、ワッフル地（裏布分）各30×30cm、花プリント（口布分）15×30cm、ギンガムチェック小、花プリント2種、ギンガムチェック大（パッチワークa、b、c、d分）各5×5cm、ギンガムチェック小（ひも分）5×55cm　25番刺繍糸…適宜

- 作り方

B（A、C、Dも口布以外は共通）

1　表袋布に刺繍をしたアップリケをつける。表袋布を中表に二つ折りにしてあきを残して縫い、両脇のまちを縫う。裏袋布も同様に縫う。

2　口布をパッチワークする（A、C、Dはなし）。両端を三つ折りにして縫う。

3　表袋と裏袋を外表に合わせ、あきを押えミシンで縫う。袋口を口布ではさんで縫う。口布のひも通し位置にステッチをかける。

4　ひもを四つ折りにして縫い（Bのみ中心ではぐ）、ひもを通して端を結ぶ。

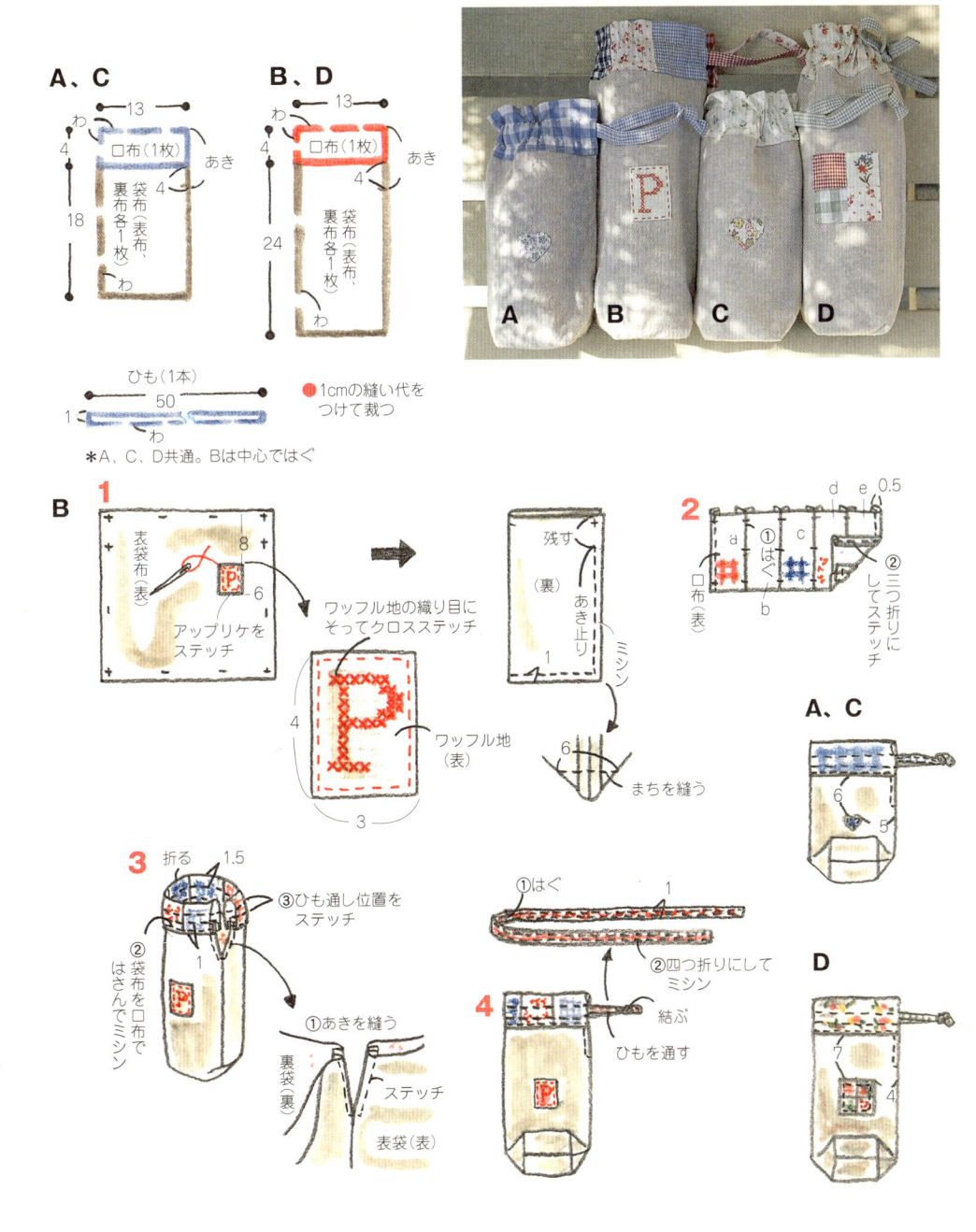

端ぎれを使って
pincushion
ピンクッション

ほんの少しの残り布があれば作れます。
布をそのまま使ったりパッチワークしたり、
中にわたを詰め、器に入れて出来上りです。
器も、思い出のカップや空き瓶などをリサイクル利用します。

ピンクッション

●材料

A（口径5.5cmの器用）
布…プリントなどa、b、c、d各15×15cm　わた…適宜

B（口径7cmの器用）
布…（プリントなど）a20×15cm、b15×15cm、c、d、e各5×10cm、f10×15cm　わた…適宜

C（口径4cmの器用）
布…レース地、無地各20×20cm　わた…適宜

D（ふたの直径4.5cmの空き瓶用）
布…麻10×10cm　わた…適宜

E（リストバンドタイプ）
布…ギンガムチェック中20×20cm、フェルト…5×5cm　ゴムテープ…1.2cm幅15cm　25番刺繍糸、わた…各適宜

●作り方

A、B、C（共通）
1　A、Bは図のように布をはぎ、Cは布2枚を重ねる。
2　周囲をぐし縫いし、中にわたを詰めて糸を絞る。
3　容器に入れる。

D
1　周囲をぐし縫いし、中にわたを詰めて糸を絞る。
2　瓶のふたに接着剤でつける。

E
1　周囲をぐし縫いし、中にわたを詰めて糸を絞る。
2　絞った部分を隠すようにフェルトをかぶせ、間にゴムテープをはさみ、周囲をブランケットステッチで止める。

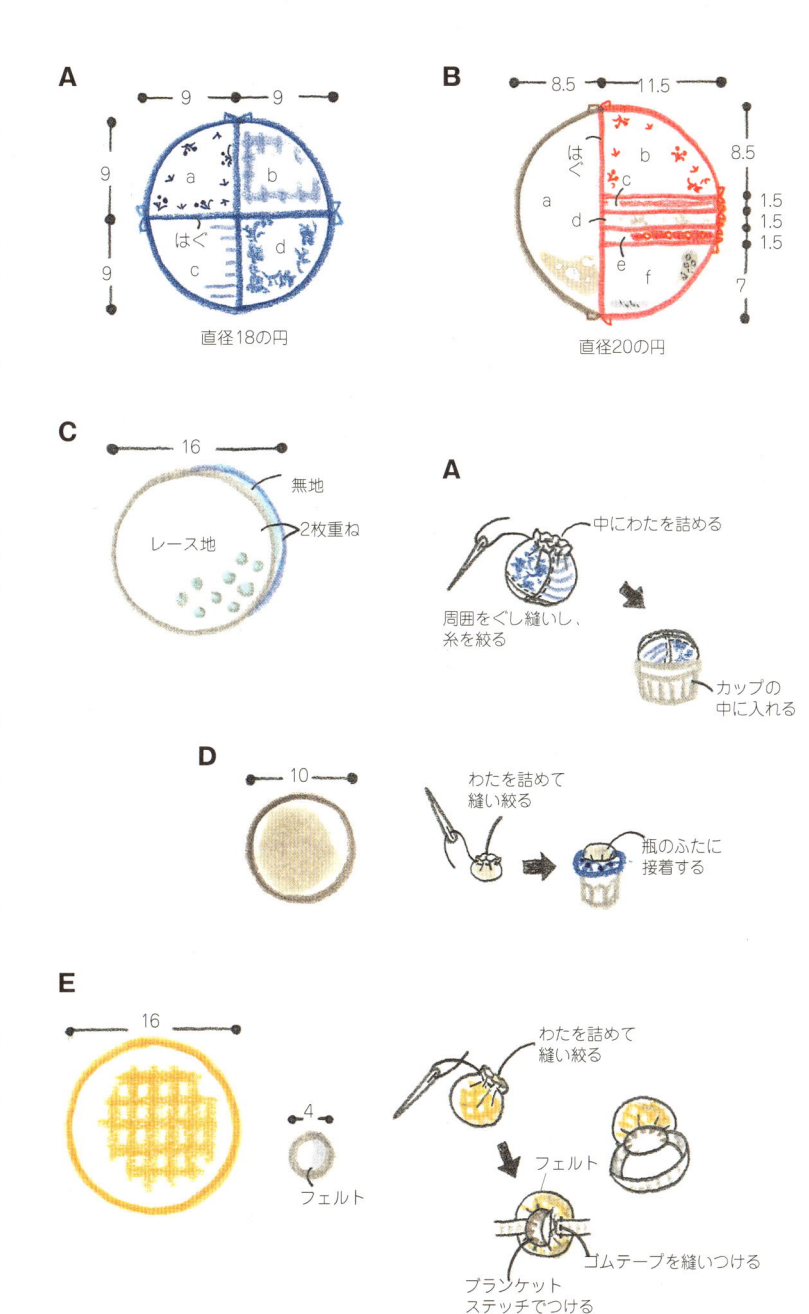

A　直径18の円

B　直径20の円

C　16　レース地　無地　2枚重ね

A　中にわたを詰める　周囲をぐし縫いし、糸を絞る　カップの中に入れる

D　10　わたを詰めて縫い絞る　瓶のふたに接着する

E　16　4　フェルト　わたを詰めて縫い絞る　フェルト　ゴムテープを縫いつける　ブランケットステッチでつける

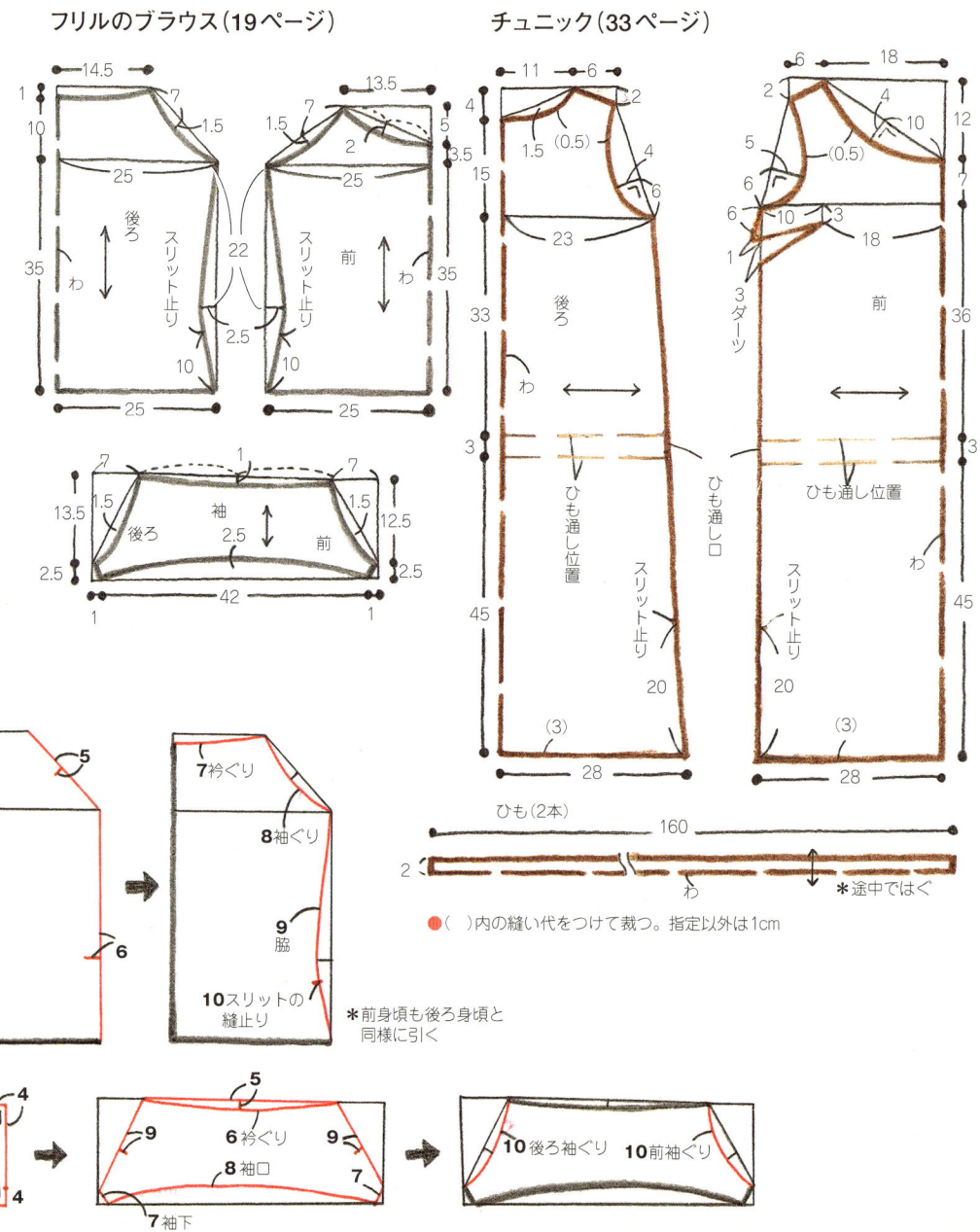

製図の引き方

● 後ろ身頃の場合
1 後ろ中心線を引く 2 衿ぐりの案内線を後ろ中心に直角に引く 3 胸幅の寸法を後ろ中心に直角に引く 4 裾幅を後ろ中心に直角に引く 5 2と3を結んで引き、袖ぐりのカーブの案内線をしるす 6 3と4を結んで引き、脇のカーブの案内線をしるす 7 つながりのいいカーブで後ろ衿ぐり線をかく 8 袖ぐり線をかく 9 脇線をかく 10 スリットの縫止りをしるす

● 袖の場合
1 袖口の案内線を引く。袖下位置をしるす 2 後ろ袖ぐりの案内線を、1に直角に引く 3 2に直角に案内線を引き、袖下のポイントをしるす 4 前側も後ろ側と同様に引く 5 3と4を結んで、衿ぐりのカーブの案内線を引く 6 衿ぐり線をかく 7 袖下線を引く 8 袖口線をかく 9 3と袖下のポイントを結んで引き、カーブの案内線をしるす。前袖ぐりも同様にする 10 後ろ袖ぐりをかく。前袖ぐりも同様にかく

フリルのブラウス(19ページ)

チュニック(33ページ)

● ( )内の縫い代をつけて裁つ。指定以外は1cm

＊前身頃も後ろ身頃と同様に引く

しわしわスカート、しわしわスカーフ　写真8、9ページ

● 材料
スカート
布…リバティプリント110cm幅90cm
ゴムテープ…0.7cm幅1.3m
スカーフ
布…リバティプリント110cm幅50cm
ビーズ…長さ1.4cmを8個、0.7cmを18個、丸小ビーズを34個

● 作り方
スカート
1 脇を縫い、縫い代は割る（ゴムテープ通し口を縫い残す）。
2 ウエストを三つ折りにして縫う。
3 裾を三つ折りにして縫う。
4 スカートを水でぬらし、よく絞ってきつくねじり、そのまま乾かす。
5 ウエストにゴムテープを通す。

スカーフ
1 周囲を三つ折りにしてステッチをかける。
2 スカートと同様、水でぬらしてよく絞ってねじり、そのまま乾かす。
3 両端にビーズをつける。

しわしわスカート

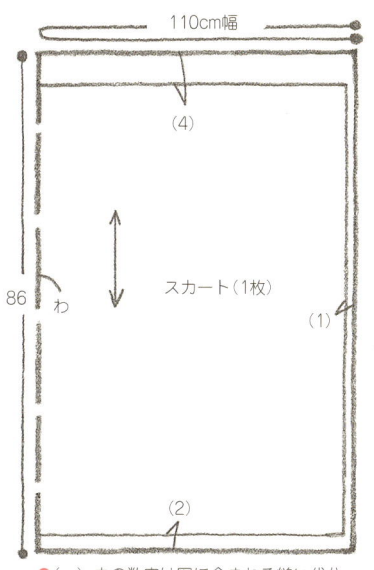

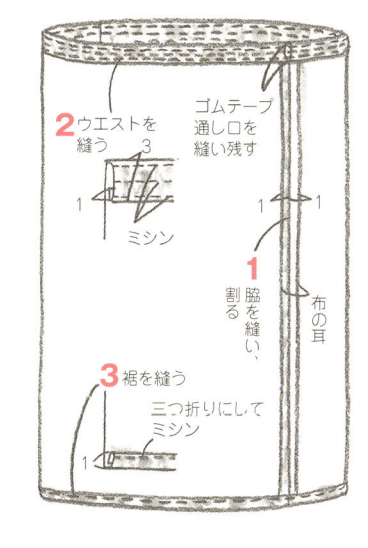

●（　）内の数字は図に含まれる縫い代分

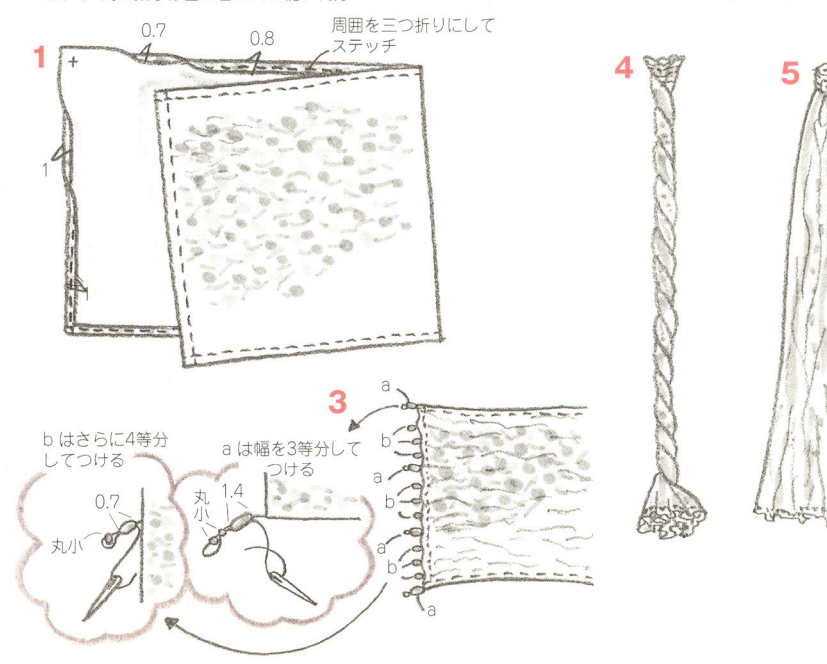

しわしわスカーフ

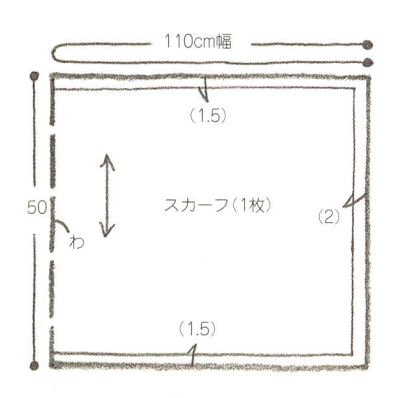

ハンガー、ランジェリーケース、サシェ　写真20ページ

● ハンガーのパターンは **B**
● 材料
ハンガー
布…レース地（表前布分）a15×20cm、b15×10cm、c10×10cm、d、e各15×15cm、ワッフル地（裏前布、表後ろ布、ループ分）40×50cm　キルト芯…90cm幅40cm　レースリボン…1.5cm幅20cm　針金ハンガー…1個　細ひも…適宜

ランジェリーケース
布…麻（袋布分）70×35cm、レース地（ふた分）20×30cm　麻ひも…30cm　ボタン…直径2cmを3個

サシェ
A 布…レース地（前布分）、麻（後ろ布分）各10×10cm　リボン…0.3cm幅20cm　ポプリ、わた…各適宜
B 布…レース地（前布分）、麻（後ろ布分）各10×15cm　リボン…0.3cm幅25cm　ポプリ、わた…各適宜
C 布…レース地（前布分）、ワッフル地（後ろ布分）各15×10cm　リボン…0.5cm幅25cm　ポプリ、わた…各適宜

● 作り方
ハンガー
1 表前はレース地a〜eを縫い合わせ、縫い代を割ってステッチをする。はぎ目にレースリボンをつける。
2 1に裏前布を重ね、表後ろ布と中表に合わせ、あきと返し口を残して周囲を縫い、表に返す。
3 針金ハンガーを約4cm幅に手で形作り、細ひもで固定する。4cm幅にカットしたキルト芯を何重にも巻きつける。
4 3に2をかぶせ、形を整えて返し口をまつる。布ループを作り、ハンガーのカーブ部分に通す。

ランジェリーケース
1 袋布を中表に二つ折りにして脇を縫い、縫い代を割る。袋口を三つ折りにして縫う。
2 ふたのつけ側を残した3辺を三つ折りにして縫う。
3 ふたのつけ側を折り、袋につける。ふたに麻ひもをつける。
4 ボタンをつける。

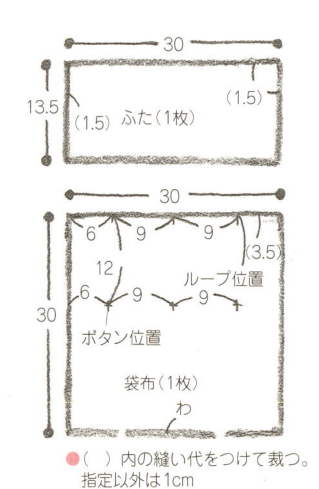

サシェ
A、B
前布と後ろ布を外表に合わせ、リボンをはさみ、ポプリとわたを入れながら周囲を縫う。
C
1 レース地とワッフル地を中表に合わせ、返し口を残して周囲を縫う。
2 表に返してポプリとわたを入れ、返し口をまつる。リボンをつける。Cは中心にランニングステッチをする

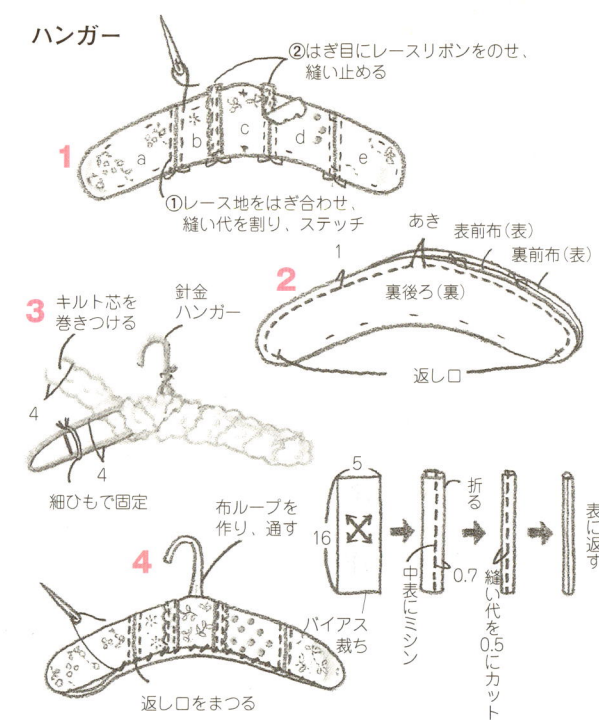

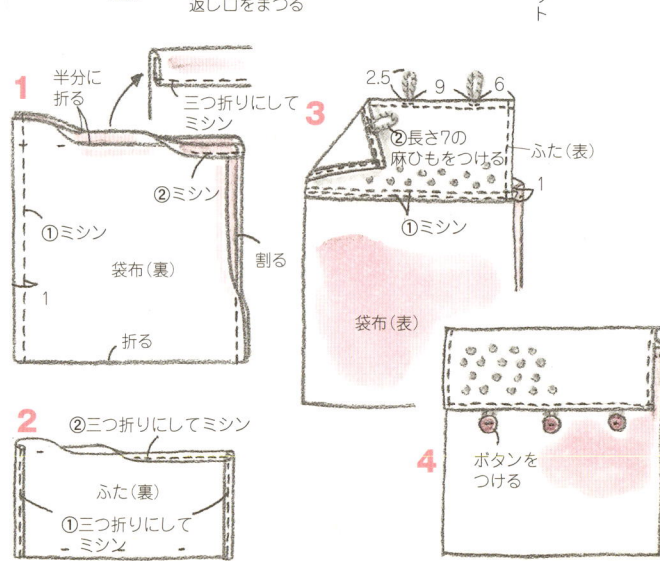

実物大パターン（サシェ）

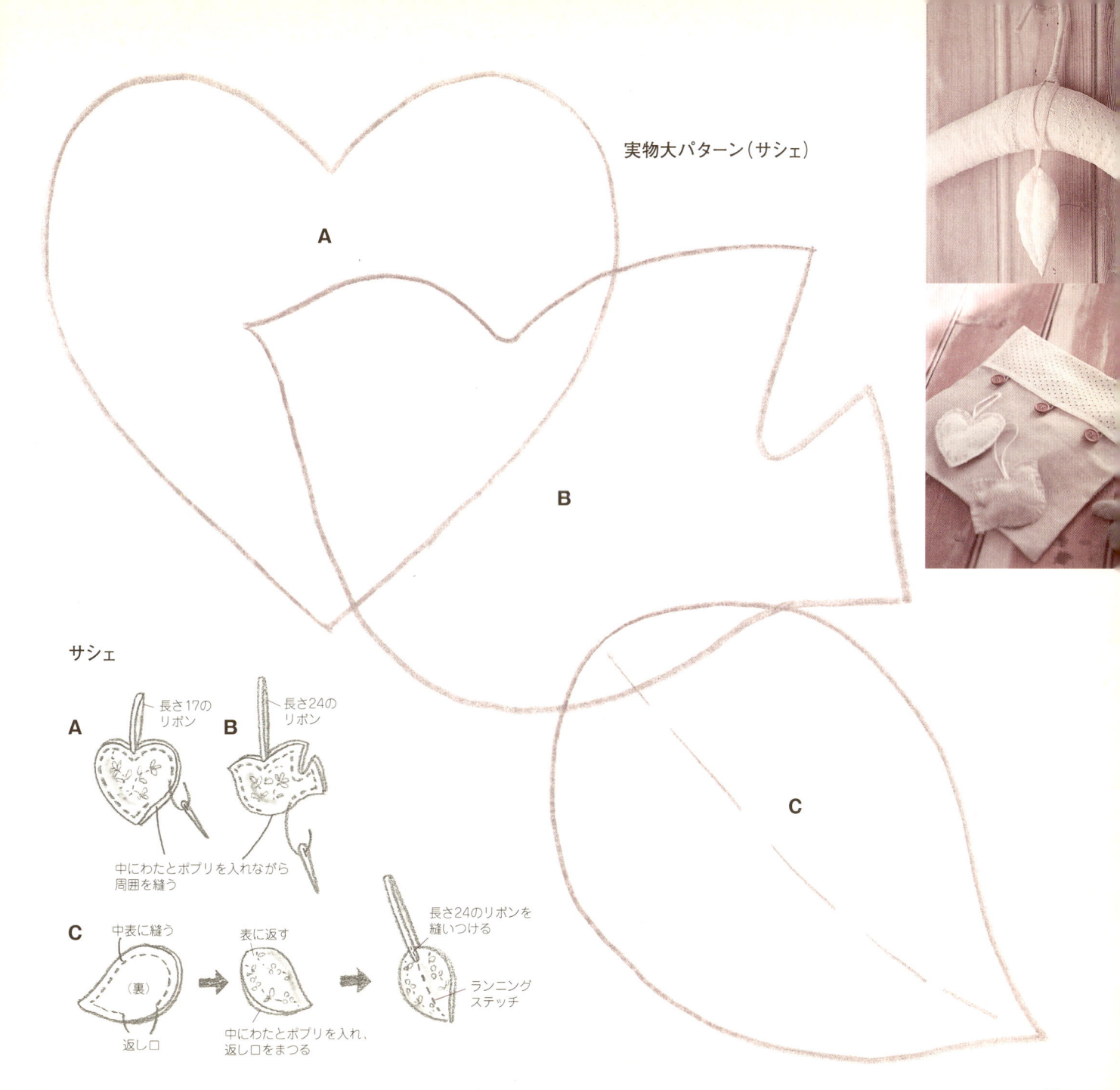

A

B

C

サシェ

A 長さ17の
リボン

B 長さ24の
リボン

中にわたとポプリを入れながら
周囲を縫う

C 中表に縫う → 表に返す → 長さ24のリボンを
縫いつける

（裏）
返し口

中にわたとポプリを入れ、
返し口をまつる

ランニング
ステッチ

51

クッションカバー　写真21ページ

●材料

A 布…麻(内カバー分)35×70cm、レース地(外カバー分)35×65cm　リボン…2cm幅1.6m　ヌードクッション…30×30cmを1個

B 布…麻(内カバー分)35×70cm、レース地(外カバー分)50×65cm　リボン…1.6cm幅1m　ヌードクッション…30×30cmを1個

C 布…麻(袋布分)35×70cm、レース地(ふた分)15×35cm　ボタン…直径2.5cmを3個　ヌードクッション…30×30cmを1個

D 布…レース地(前パッチワーク布a分)15×50cm、(前パッチワーク布b分)15×15cm、綿麻混紡の刺繍地(前パッチワーク布c分)15×25cm、麻(前パッチワーク布d、後ろ布分)35×55cm　ヌードクッション…30×30cmを1個

●作り方

内カバー

1 片側の入れ口を三つ折りにして縫い、もう一方は布の耳を利用する。図のように中表に折り、上下を縫う。
2 表に返し、入れ口からヌードクッションを入れる。

A

1 袋布を中表に二つ折りにして脇と底を縫う。袋口を三つ折りにして縫う。
2 表に返し、袋口に長さ40cmのリボンをつける。
3 内カバーを入れ、リボンを結ぶ。

B

Aと同様に縫う。内カバーを入れ、袋口の両脇をつまみ、長さ50cmのリボンで結ぶ。

C

1 つけ側を残してふたの3辺を三つ折りにして縫う。
2 ふたをはさみ、袋布を図のように中表に折り、上下を縫う。
3 表に返し、ふたの両側にステッチをかけて止め、袋布まで通してボタンをつける。入れ口からヌードクッションを入れる。

D

1 前布をパッチワークする。
2 1と後ろ布を中表に合わせ、周囲を縫う。
3 表に返し、入れ口からヌードクッションを入れる。

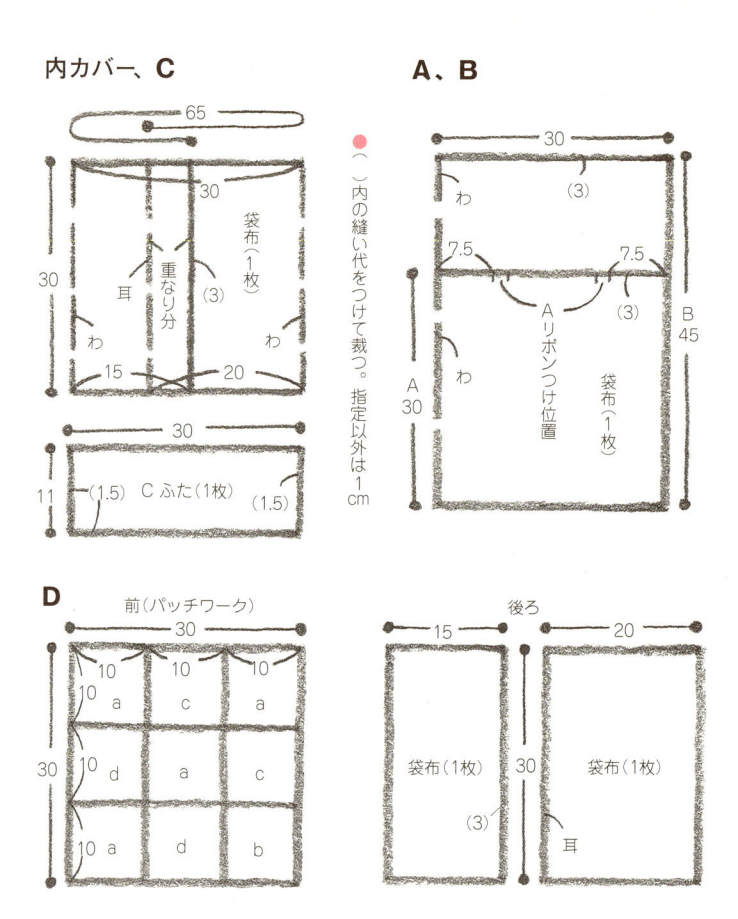

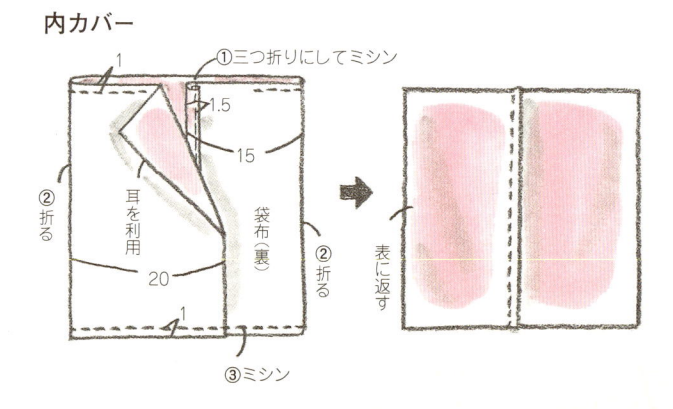

A

- 1.5
- 1.5
- ②三つ折りにして縫う
- ①ミシン
- 1
- 長さ40のリボンをつける
- 1折る
- 0.5
- 三つ折りにしてミシン

B

- リボンで結ぶ

C

- ①ふたを作る
- （表）
- 三つ折りにしてミシン
- ふた（表）
- ③ふたをはさんでミシン
- 袋布（表）
- 耳を利用
- 折る
- ②三つ折りにしてミシン
- 折る
- 1
- ④ミシン
- 5　10　10　5
- 袋布まで通してボタンをつける
- 1

D

- 割る
- パッチワークする
- パッチワーク布（表）
- ①三つ折りにしてミシン
- 後ろ（裏）
- 耳を利用
- 1
- ②周囲をミシン
- 表に返す

手ふきタオル　写真23ページ

●材料

A 布…レース地（パッチワーク布分）a、c各10×10cm、b20×10cm　レース…2cm幅20cm　フェースタオル…34×77cmを1枚

B 布…綿麻混紡の刺繍地（パッチワーク布a分）、リバティプリント（パッチワーク布b分）各10×10cm　リボン…0.5cm幅20cm　ハンドタオル…34×34cmを1枚

C 布…レース地（パッチワーク布分）a、c各20×15cm、b、d各20×10cm　フェースタオル…34×77cmを1枚

D 布…レース地（アップリケ分）10×10cm　リボン…1cm幅20cm　ハンドタオル…34×34cmを1枚

●作り方

A
タオル端のかたい部分（折り返して縫ってあるところ）を切り取る。レース地a、b、cとレースをパッチワークする。タオル端に縫いつける。

B
a、bをパッチワークする。長さ16cmのリボンを二つ折りにしてはさみ、タオルの角に縫いつける。

C
タオル端のかたい部分（折り返して縫ってあるところ）を切り取る。レース地a、b、c、dをパッチワークする。タオル端の裏に合わせて縫い、端をくるんで表からステッチする。

D
アップリケ布の縫い代を折り、長さ16cmのリボンを二つ折りにしてはさみ、タオルの角に縫いつける。

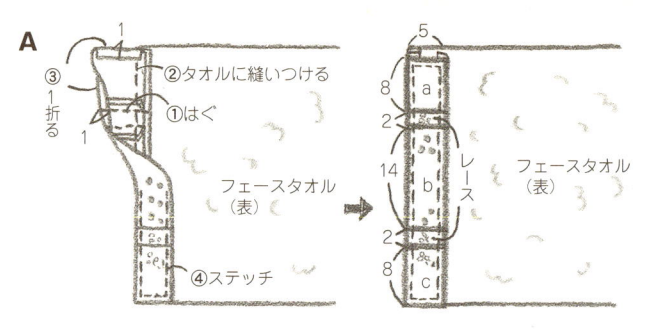

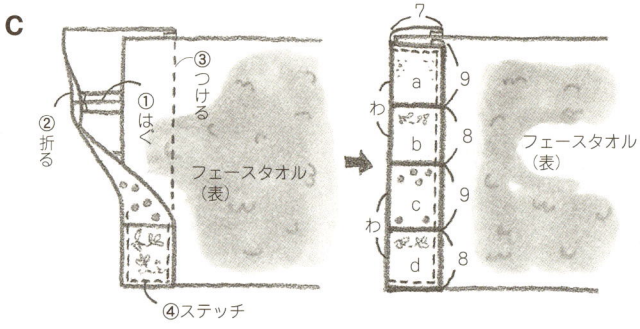

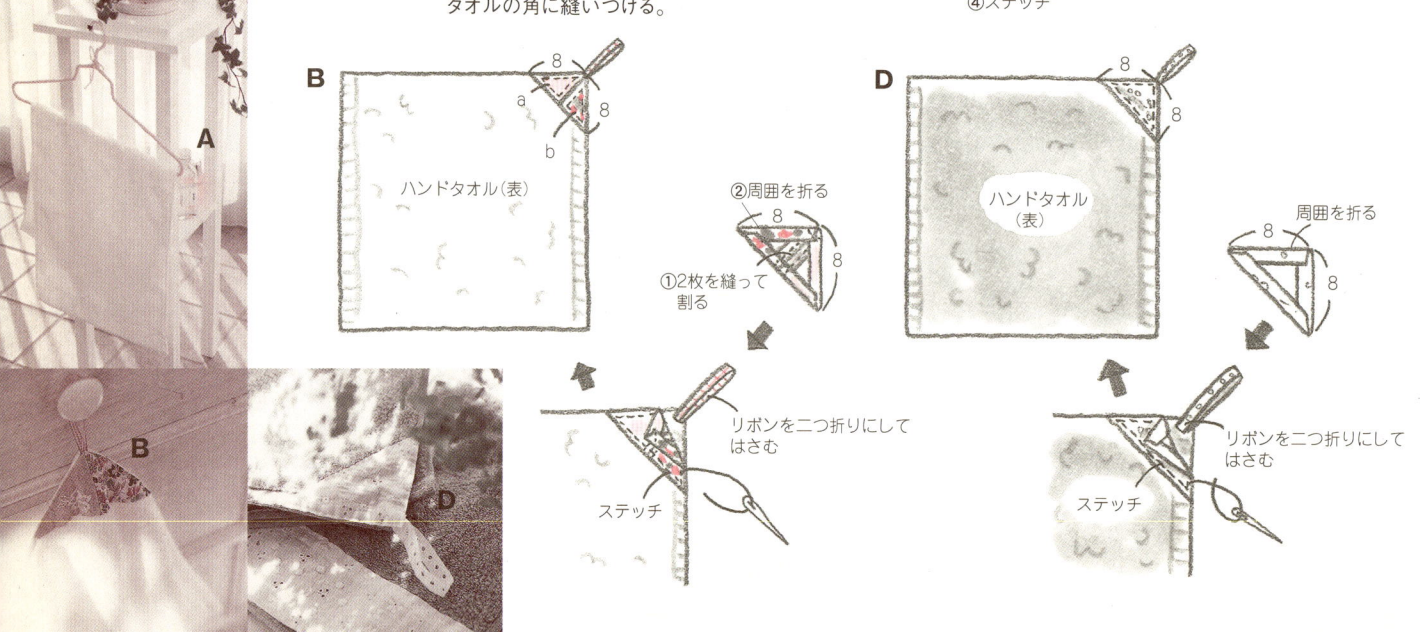

ランチョンマット　写真24ページ

●材料
布…麻(表布分)35×40cm、ギンガムチェック大、花プリント、ストライプ地(裏布分)各12×45cm　25番刺繍糸…適宜

●作り方
1　表布に刺繍をする。
2　裏布を縫い合わせ、縫い代は割る。
3　表布と裏布を中表に合わせて1辺を縫い、縫い代は裏布側に倒す。これを中表に二つ折りにし、返し口を残して3辺を縫う。
4　返し口から表に返し、返し口をまつる。周囲にステッチをかける。

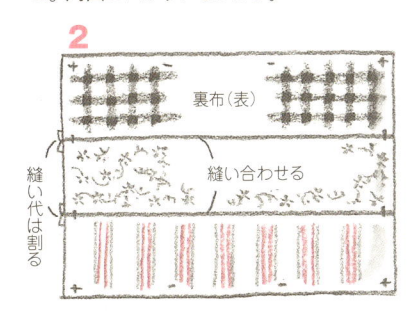

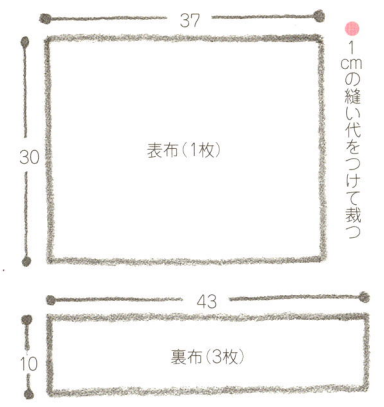

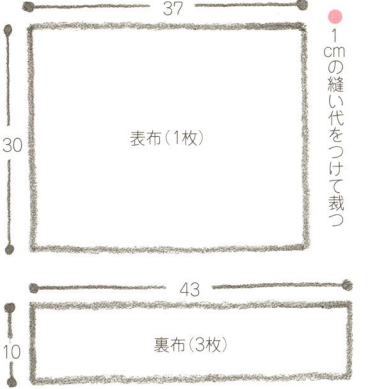

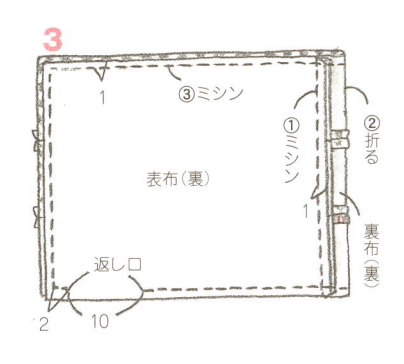

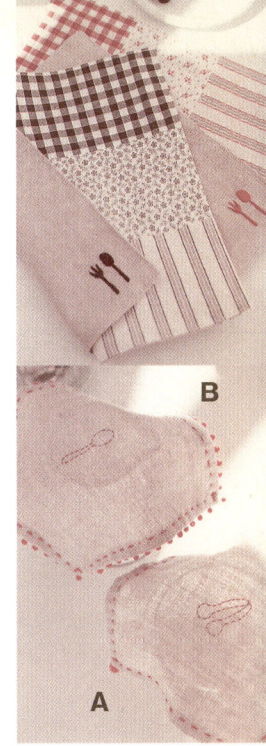

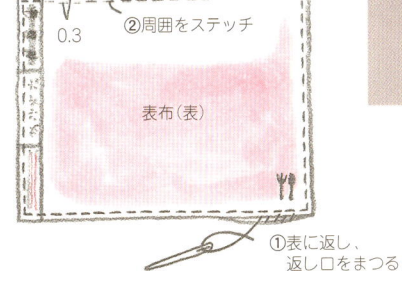

ドイリー　写真25ページ

●材料
A　布…麻20×20cm　ビーズ…ドロップ形1.2cmを4個、丸小を4個　25番刺繍糸…適宜
B　布…麻20×20cm、ビーズ…直径0.4cmを60個　25番刺繍糸…適宜

●作り方
1　周囲を三つ折りにしてステッチをかける。
2　中央に刺繍をする。
3　ビーズをつける。

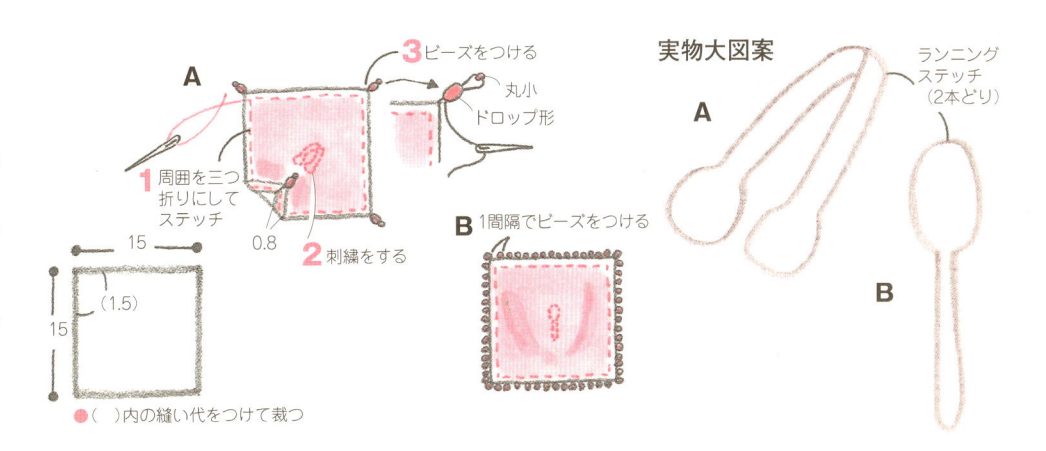

バスケット、コースター、カトラリーケース　写真28ページ

●材料

バスケット
布…麻（表布分）110cm幅30cm、ギンガムチェック大（裏布分）110cm幅30cm　キルト芯…110cm幅20cm　ギンガムテープ…4cm幅80cm　持ち手（革）…幅2.5cm、長さ38.5cmを1組み　25番刺繍糸、麻ひも…各適宜

コースター（はち、てんとう虫）
布…麻（表布分）、ギンガムチェック中（裏布分）各15×15cm　リボン…1.5cm幅5cm　25番刺繍糸、麻ひも…各適宜

カトラリーケース
布…麻（表布分）20×40cm、ギンガムチェック小（裏布分）20×40cm、ギンガムチェック中（ポケット分）15×40cm　キルト芯…20×40cm　リボン…0.3cm幅60cm　25番刺繍糸、麻ひも…各適宜

●作り方

バスケット

1 ポケットを作って刺繍をし、表側面につける。表側面を中表に二つ折りにして縫い、縫い代は割る。

2 裏側面とキルト芯を重ねて中表に二つ折りにして縫い、縫い代は割る。

3 表側面と裏側面を中表に合わせ、袋口を縫う。

4 表に返し、袋口にステッチをかけ、底布つけ側にもミシンをかけておく。

5 表底と裏底を外表に合わせ、間にキルト芯をはさんで周囲にミシンをかけておく。

6 側面と底を縫い合わせ、縫い代はギンガムテープでくるむ。

7 持ち手をつける（糸は、麻ひもよりをほどいて2本どりにする）。

コースター

1 表布に刺繍をする。

2 表布と裏布を中表に合わせ、リボンをはさみ、返し口を残して周囲を縫う。

3 表に返し、返し口をまつる。周囲にステッチをする（糸は、麻ひもよりをほどいて2本どりにする）。

カトラリーケース

1 表布に刺繍をする。

2 ポケットを作り、裏布につける。

3 表布と裏布を中表に合わせ、上にキルト芯を重ね、返し口を残して周囲を縫う。

4 表に返し、返し口をまつる。周囲にステッチをする（糸は、麻ひもよりをほどいて2本どりにする）。

5 リボンをつける。

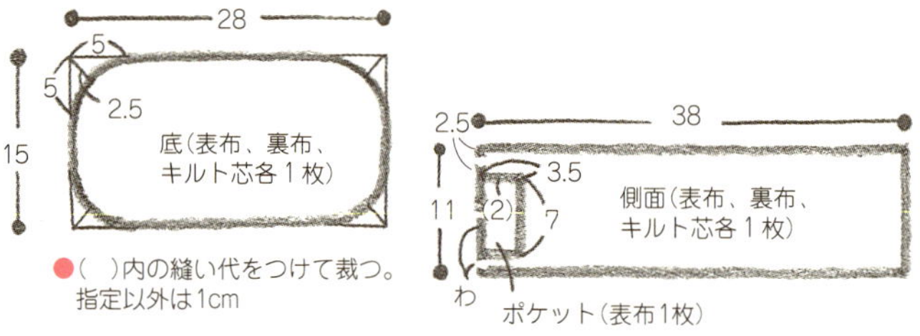

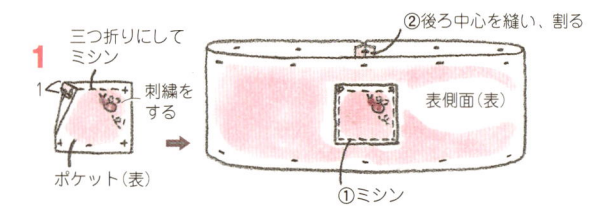

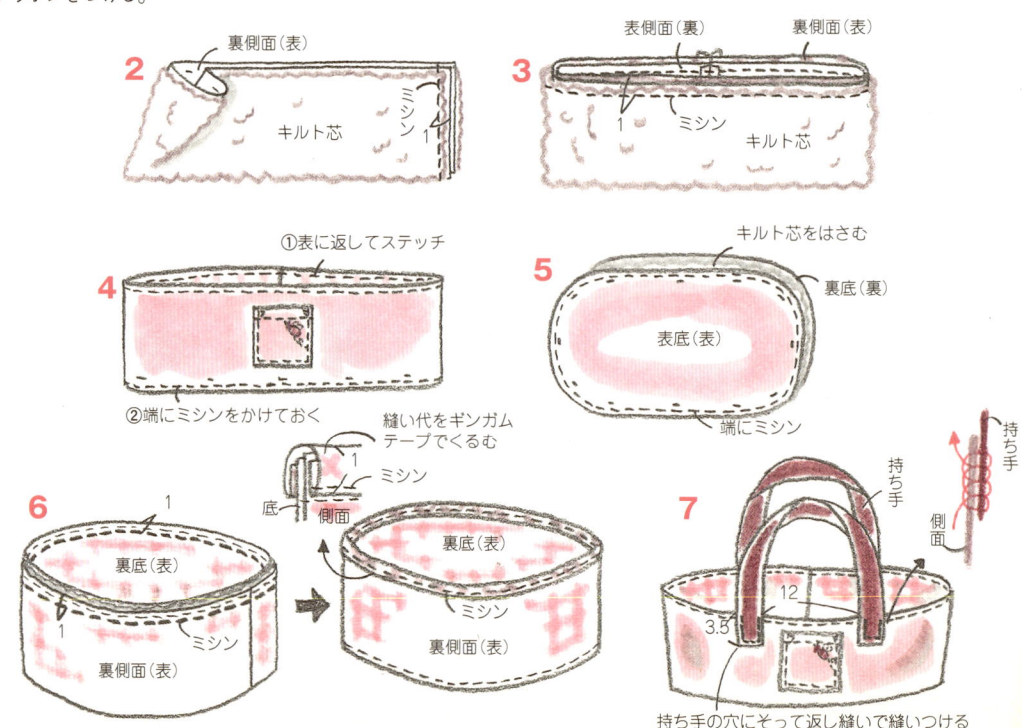

実物大図案

コースター

- ランニングステッチ
- フレンチナッツステッチ
- サテンステッチ
- ランニングステッチ
- レゼーデージーステッチ
- サテンステッチ
- サテンステッチ
- フレンチナッツステッチ

カトラリーケース

- チェーンステッチ
- アウトラインステッチ

すべて刺繍糸2本どり

コースター

(表布、裏布 各1枚)

12

● 1cmの縫い代をつけて裁つ

1. 刺繍をする
2. リボンを二つ折りにしてはさむ
   5
   表布と裏布を中表に合わせる
   返し口を残してミシン
3. ②周囲にステッチ
   1.5
   ①返し口をまつる

カトラリーケース

35

15

(表布、裏布、キルト芯各1枚)

8 (2) ポケット(表布1枚)

● ( )内の縫い代をつけて裁つ。指定以外は1cm

1. 表布(表) 刺繍をする
2. 裏布(表) 5 5 5 5 5
   ポケット(表)
   ①ポケット口を三つ折りにしてミシン
   ②ミシン
   1
3. ミシン キルト芯
   1
   返し口10
4. ②周囲にステッチ
   ①表に返し、返し口をまつる
   表布と裏布を中表に合わせる
5. 7.5
   0.5 折る
   リボンをつける
   長さ30

57

買い物バッグとエプロン　写真38ページ

●材料
布…キッチンクロス風チェック地（バッグの表布、エプロン分）112cm幅90cm、花プリント（バッグの裏布、パッチワークb分）110cm幅50cm、ギンガムチェック小（パッチワークa分）10×15cm、ギンガムチェック大（パッチワークc分）、ギンガムチェック中、花プリント2種（エプロンのパッチワークd、e、f分）各10×10cm　テープ（バッグの持ち手分）…2.5cm幅1.2m　綾テープ（エプロンのひも分）…2.5cm幅2.3m

●作り方
バッグ
1　ポケットと内ポケットを作り、表袋布と裏袋布にそれぞれつける。
2　表袋布を中表に合わせ、脇と底を縫い、まちを縫う。裏袋布も同様に作る。
3　表袋と裏袋を外表に合わせ、表袋の袋口を折り、長さ60cmの持ち手をはさんで袋口にミシンをかける。持ち手を上に倒し、ステッチをかける。

エプロン
1　ポケットを作り、つける。
2　タックをたたみ、仮止めしておく。
3　脇と裾を三つ折りにして縫う。
4　ウエストを綾テープでくるんで縫う。

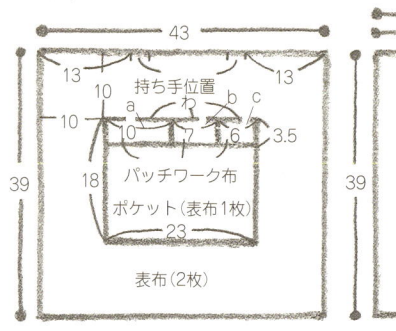

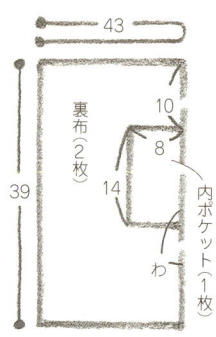

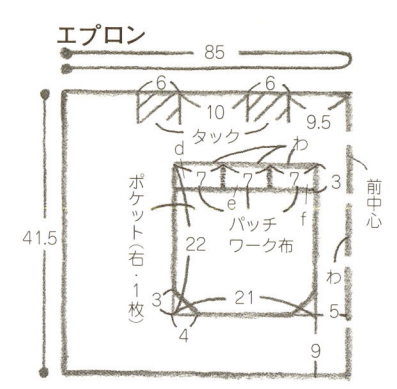

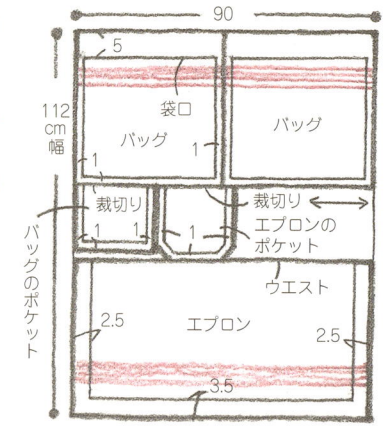

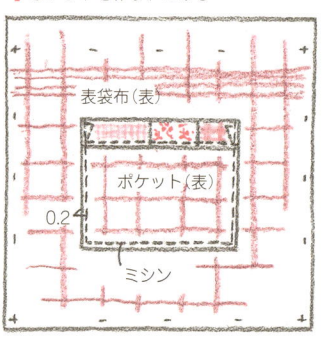

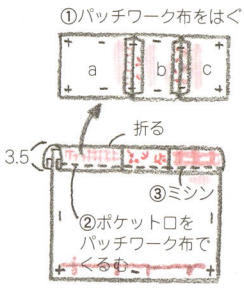

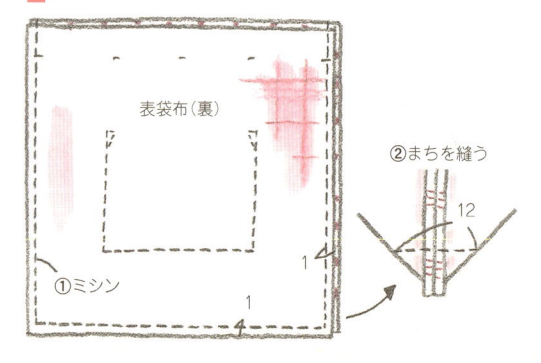

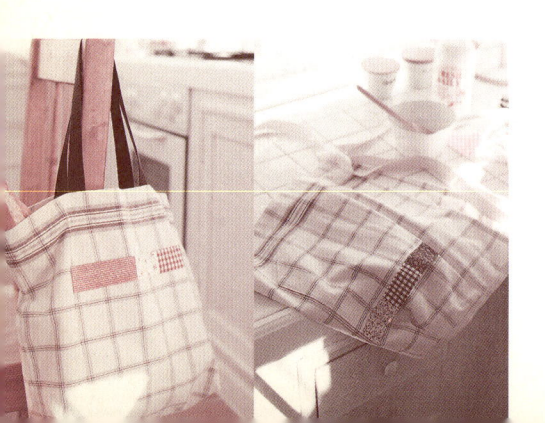

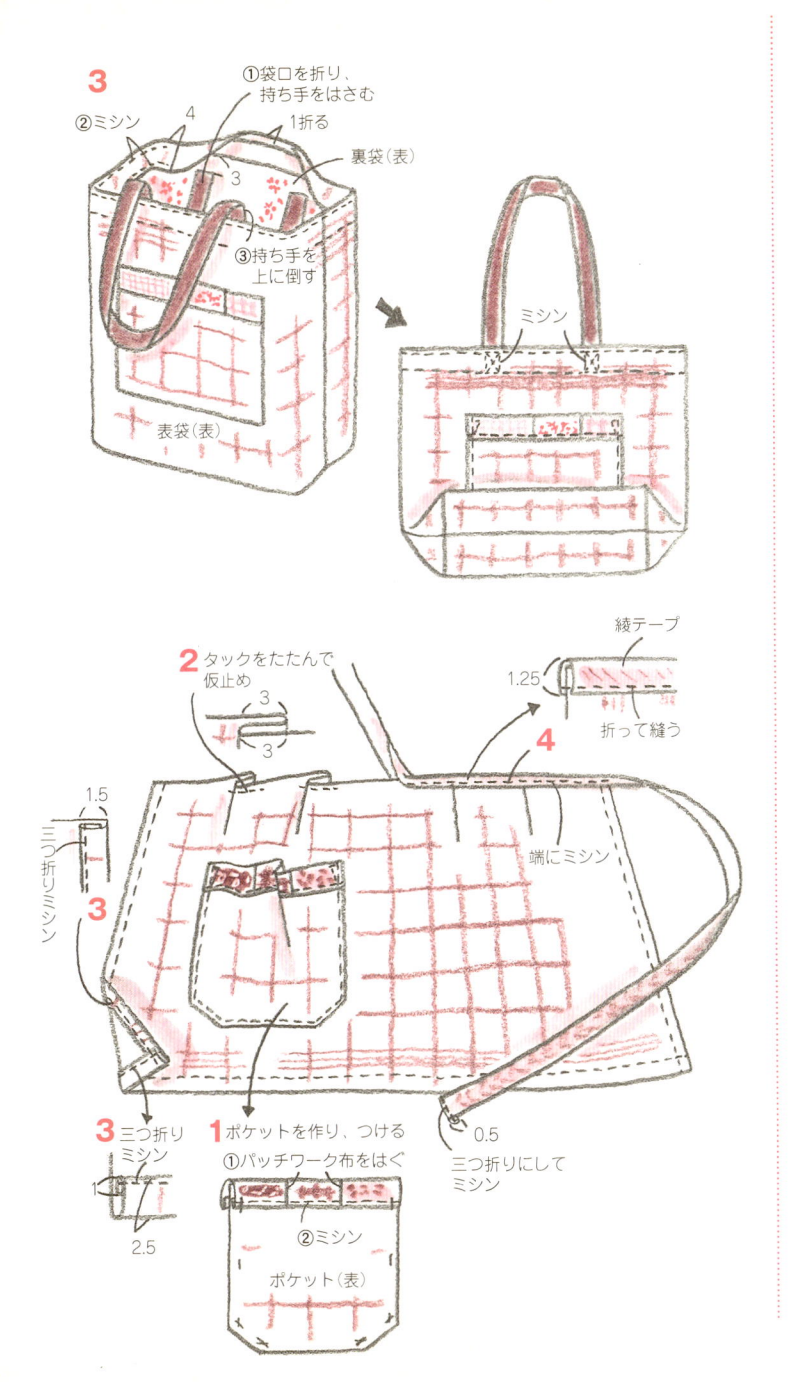

カフェカーテン　写真22ページ

●材料
布…レース地95cm幅45cm　縁レース…3cm幅95cm　レースリボン…2cm幅2m

●作り方
1 周囲を三つ折りにして縫う。
2 裾にレースをつける。
3 長さ40cmのレースリボンを二つ折りにし、カーテンの上端5か所に縫いつける。

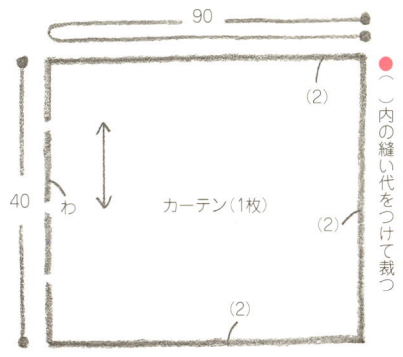

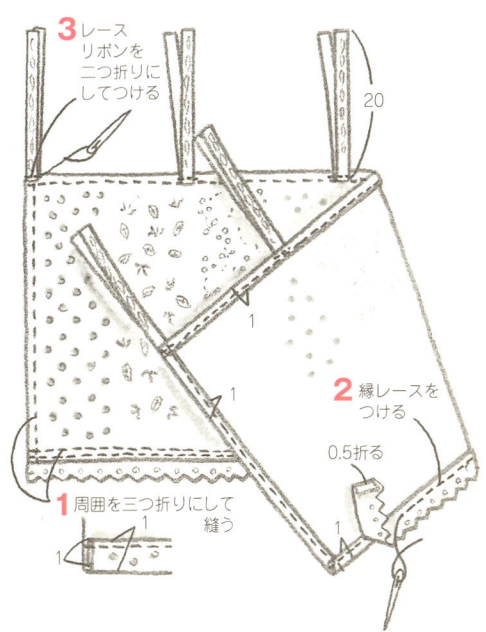

mihox & H.H.

mihox　ミホックス
1966年横浜生れ。
アパレルメーカー勤務を経て独立、イラストレーターになる。
手作り好き集団「H.H.」の仲間たちと服や布小物を製作するのが今の楽しみ。
大のサッカーファン。

撮影／山下恒夫　　ブックデザイン／岡山とも子　　トレース／堀江かつ子
縫製、作り方解説、着る人／黒川久美子　　編集／堀江友惠

●布地、付属材料提供
ホビーラホビーレ　東京都品川区東大井5-23-37　TEL 03-3472-1104

handmade ZAKKA
布こものにニットを少し
菊池しほ

handmade ZAKKA
リネンもニットも好きだから
菊池しほ

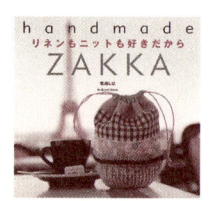

handmade ZAKKA
とびきりカワイイを作ろう
Bleu Blanche

---

handmade ZAKKA
のんびり気分で作りたいもの

発　行　2004年5月2日　第1刷

著　者　mihox & H.H.
発行者　大沼　淳
発行所　文化出版局
　　　　〒151-8524　東京都渋谷区代々木3-22-7
　　　　TEL03-3299-2487（編集）　TEL03-3299-2540（営業）
印刷所　株式会社文化カラー印刷
製本所　大口製本印刷株式会社

Ⓒmihox & H.H. 2004　Printed in Japan

Ⓡ 本書の全部または一部を無断で複写（コピー）することは、
著作権法上での例外を除き、禁じられています。本書からの複写を希望される場合は、
日本複写権センター(tel.03-3401-2382)にご連絡ください。

お近くに書店がない場合、読者専用注文センターへ☎0120-463-464
ホームページ　http://books.bunka.ac.jp/

pattern

P.26 コースター（実物大）

P.42 ブックカバーのしおり（実物大）
P.44 ペットボトルケースA、C（実物大）

返し口

P.26 ポットつかみ（実物大）

返し口

P.44 ペットボトルケースD（実物大）

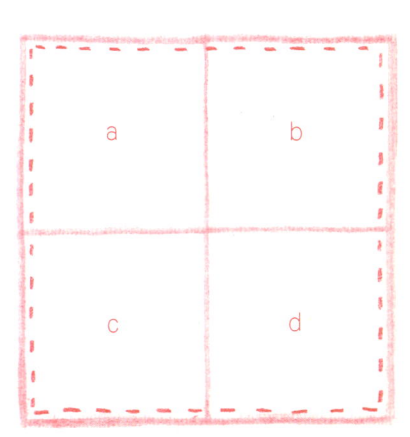

a	b
c	d

A

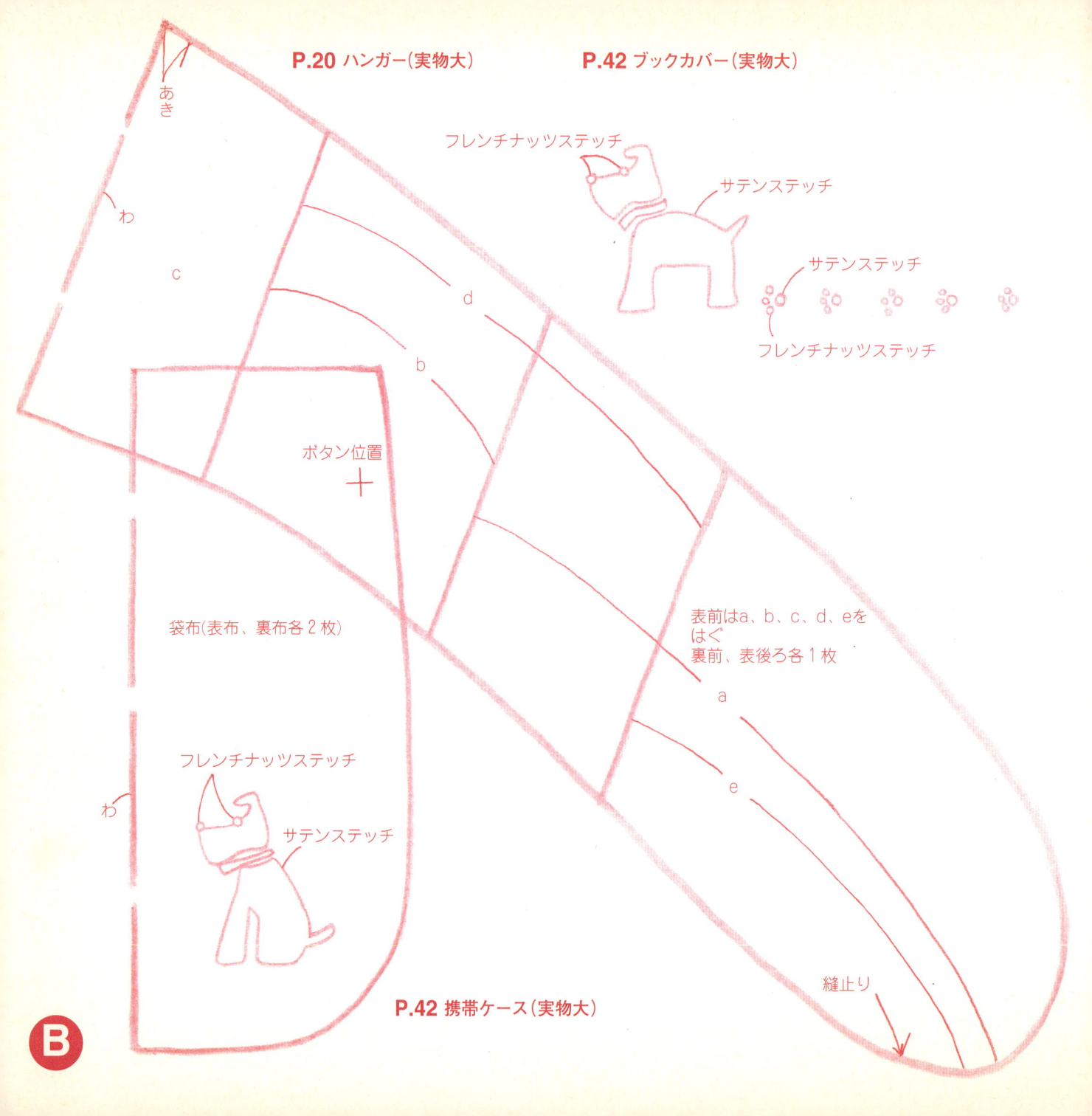

P.20 ハンガー（実物大）　　**P.42** ブックカバー（実物大）

あき
わ
c
d
b

フレンチナッツステッチ
サテンステッチ
サテンステッチ
フレンチナッツステッチ

ボタン位置

袋布（表布、裏布各2枚）

表前はa、b、c、d、eをはぐ
裏前、表後ろ各1枚

a
e

フレンチナッツステッチ
サテンステッチ

わ

縫止り

P.42 携帯ケース（実物大）

Ⓑ

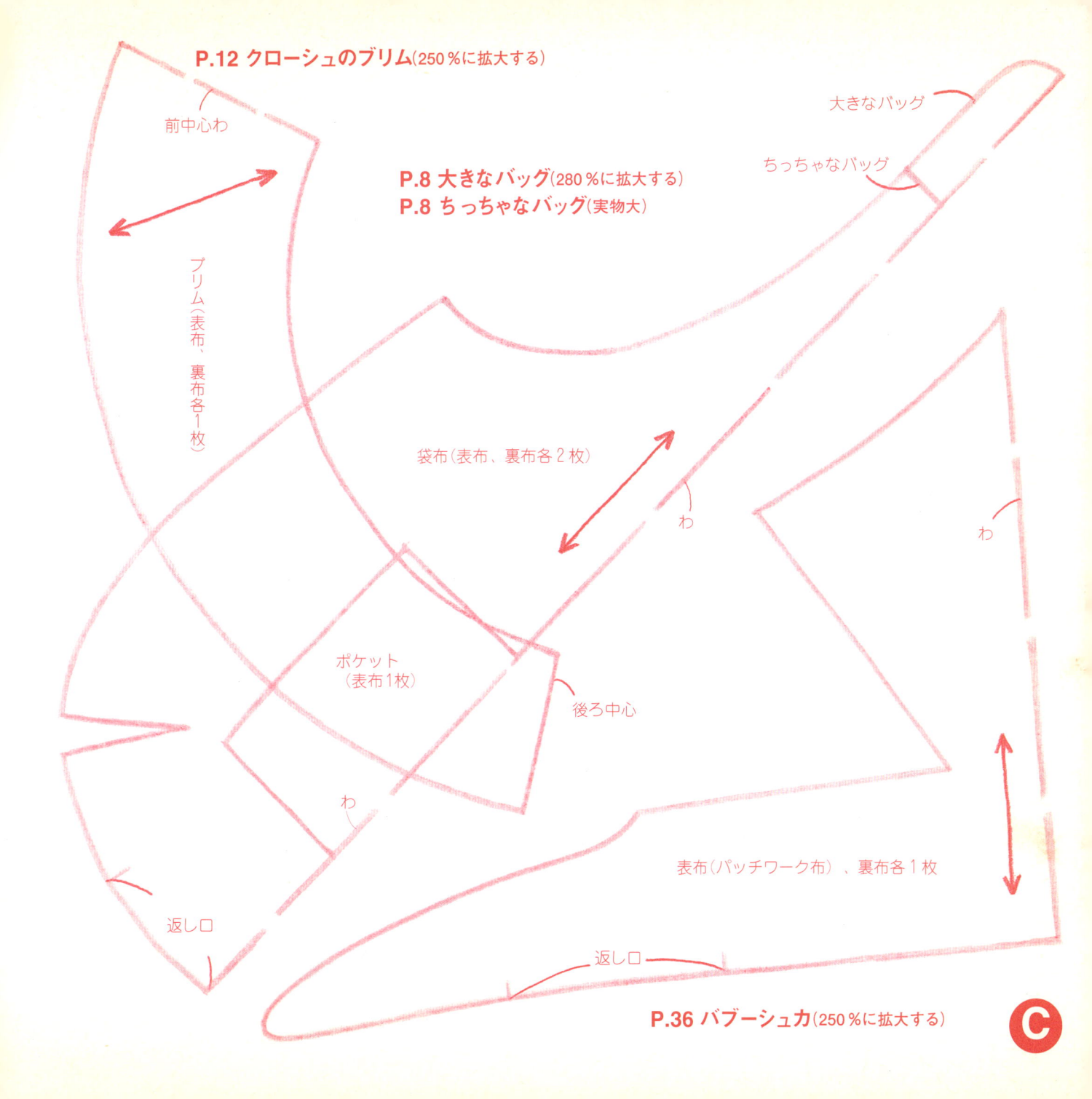

P.12 クローシュのブリム(250％に拡大する)

前中心わ

P.8 大きなバッグ(280％に拡大する)
P.8 ちっちゃなバッグ(実物大)

大きなバッグ
ちっちゃなバッグ

ブリム(表布、裏布各1枚)

袋布(表布、裏布各2枚)

わ

わ

ポケット
(表布1枚)

後ろ中心

返し口

返し口

表布(パッチワーク布)、裏布各1枚

P.36 バブーシュカ(250％に拡大する)

shop list

この本で紹介した布や材料に出会える店
ホビーラホビーレ　ショップリスト

この本の作品はホビーラホビーレの布を使いました。商品の有無など、詳細はお近くの店にお問い合わせください。

●北海道
大丸札幌店ホビーラホビーレ ☎011-271-5662
●東北
盛岡川徳ホビーラホビーレ ☎019-622-6155
仙台ホビーラホビーレ ☎022-262-4550
●関東、甲信越
柏そごうホビーラホビーレ ☎04-7164-4429
千葉そごうホビーラホビーレ ☎043-245-2004
伊勢丹松戸店ホビーラホビーレ ☎047-364-1111
川越丸広ホビーラホビーレ ☎0492-24-1111
入間丸広ホビーラホビーレ ☎0429-66-1211
浦和伊勢丹ホビーラホビーレ ☎048-834-3165
ホビーラホビーレ玉川店 ☎03-3707-1430
日本橋高島屋ホビーラホビーレ ☎03-3271-4564
新宿タカシマヤホビーラホビーレ ☎03-5361-1480
池袋東武ホビーラホビーレ ☎03-3981-2211
池袋三越ホビーラホビーレ ☎03-5951-8868
京王アートマンホビーラホビーレ ☎042-337-2588
伊勢丹立川店ホビーラホビーレ ☎042-525-2671
ホビーラホビーレ八王子店 ☎0426-43-8303
伊勢丹相模原店ホビーラホビーレ ☎042-740-5485
横浜そごうホビーラホビーレ ☎045-465-2759
横浜高島屋ホビーラホビーレ ☎045-313-4472
港南台高島屋ホビーラホビーレ ☎045-831-6441
ながの東急ホビーラホビーレ ☎0262-26-8181
松本井上ホビーラホビーレ ☎0263-33-1150
●中部、東海
静岡伊勢丹ホビーラホビーレ ☎054-251-7897
名古屋丸栄ホビーラホビーレ ☎052-264-6083
名古屋三越星ヶ丘店ホビーラホビーレ ☎052-781-3080
ジェイアール名古屋タカシマヤホビーラホビーレ ☎052-566-8472

●北陸
新潟伊勢丹ホビーラホビーレ ☎025-241-6062
香林坊大和ホビーラホビーレ ☎0762-20-1295
大和富山ホビーラホビーレ ☎076-424-1111
●関西
ホビーラホビーレヒルトンプラザ店 ☎06-6347-7408
梅田阪急ホビーラホビーレ ☎06-6361-1381
阿倍野近鉄ホビーラホビーレ ☎06-6624-1111
大阪高島屋ファブリックハウスホビーラホビーレ ☎06-6631-1101
守口京阪ホビーラホビーレ ☎06-6994-1313
京都高島屋ホビーラホビーレ ☎075-221-8811
京都トランテアンホビーラホビーレ ☎075-392-8119
京都北山トランテアンホビーラホビーレ ☎075-702-1502
●中国、四国
広島そごうホビーラホビーレ ☎082-511-7688
福屋広島駅前店 ホビーラホビーレ ☎082-568-3640
●九州、沖縄
福岡岩田屋ホビーラホビーレ ☎092-723-0350
大分トキハホビーラホビーレ ☎0975-32-4130
鹿児島山形屋ホビーラホビーレ ☎0992-27-6090
沖縄リウボウホビーラホビーレ ☎098-869-2258

●株式会社　ホビーラホビーレ
東京・本社 ☎03-3472-1104
http://www.hobbyra-hobbyre.com
http://www.rakuten.co.jp/hobbyra